世界をアップデートする方法

哲学・思想の学び方

篠原 信

Shinohara Makoto

集英社インターナショナル

世界をアップデートする方法

哲学・思想の学び方

はじめに

歴史を勉強するとき、なんで哲学者や思想家の名前を覚えなければならないのか、わからなかった人は多いのではないだろうか。私もその一人。なんか小難しいリクツを述べたって、アレクサンダー大王やナポレオンのような英雄と比べれば、いったいなんの役に立つっていうんだ、と。

なぜ哲学者や思想家が歴史上で重要なのか？　それは、当時の常識を破る斬新《ざんしん》なアイディアを述べたからだ。そして、当時は受け入れられなくても、やがて新時代の常識になっていった。固定観念を打ち破った人たちだから、歴史に名を残した。

わかりやすい事例だと、ボッカッチョの『デカメロン』。何ともユニークな名前の本なので聞いたことがある人がいるかもしれない。歴史の教科書にも紹介されているが、なぜこの本が歴史に残ったのか、知っている人は少ない。この本は、実は「命がけのエロ本」なのだ。

ちくま文庫の『デカメロン』は、手にとるのをためらうような表紙だ。なぜ女性の下着姿？　私はとても戸惑《とまど》った。しかし内容を読んですぐ理由がわかった。内容がエロエロ。これほどエロい古典をほかに読んだ覚《おぼ》えはなかった。そんなエロ本がなぜ歴史に名を刻《きざ》んだのか？　それは、歴史を変えたエロ本だったからだ。

ボッカッチョが生きた時代は、キリスト教会が極めて強い権力をもっていた時代。僧侶《そうりょ》の悪口をいえば地獄に堕《お》ちると信じられていた。だが他方、僧侶たちは絶大な権力を背景に腐敗しきっていた。ボッカッチョは僧侶がいかに堕落しているかを、僧侶たちのエロスを描くことで暴《あば》いてみせた。

ボッカッチョの「勇気あるエロ本」は、「僧侶の悪口をいってもいいんだ」と、当時の知識人たちを勇気づけた。やがてこの勇気の伝播《でんぱ》が、ルネサンスへと発展し、キリスト教の呪縛から人々を解放した。現代の合理主義を生むために、ボッカッチョの「命がけのエロ本」は大きな影響を及ぼしたわけだ。

歴史に名を残した哲学者や思想家は、ボッカッチョと同様に、当時の常識を破壊し、新しい時代のあるべき姿を指し示す重要な役割を果たした。人々の思考を根本から変えるという意味では、アレクサンダー大王やナポレオンよりも影響力は大きいといえるかもしれない。だから歴史に名を残した。

ソクラテスは、「話し合う」ことで思考を深めるという新手法を確立した。ソクラテス以前は「生まれつき頭のよい天才」だけが知識をもち、誰が知識人になれるかは運で決まると考えられていた。ところがソクラテスは「産婆術《さんばじゅつ》」と呼ぶ問答によって、天才でなくても誰もが思考を深められる方法を確立した。歴史を変えてしまったのだ。

プラトンは「国家をデザインする」という大胆な発想を示した。プラトン以前は、国家は強大なシステムであり、人間の力でどうこうできるものとは考えられていなかった。だが、プラトンは「理想の国家」を描いてみせ、「あ、国家ってデザインしていいんだ」と思わせた。国家論がここから生まれる。

アリストテレスは「観察」という手法を確立した。自然界に存在するものを丹念に観察し、そこから新たな発見をし、知識を増やしていくという方法論をみんなに示した。それまでの人々は、意識的に自然を観察し、そこから何かを学びとるという姿勢を明確にもっていなかった。彼が意識化したのだ。

デカルトは「迷信を破壊する方法」を人々に教えた。すべてを疑え！　そして疑いようのない事実から出発して、思想を再構築せよ！　『方法序説』で提案されたこの方法論は、キリスト教の呪縛から解き放つ決定的な役割を果たした。これにより、人類は「合理主義の時代」に初めて突入する。

ルソーは「国民一人一人の意志が集まって国家の意志になる」という、当時の人間が誰も考えたことのないような国家体制のアイディアを提案した。それまでの国家は、王様や権力者に支配されるのが当たり前だった。ルソーは「民主主義」という国家像を示すことで、世界を変えてしまった。

哲学や思想をなぜ学ぶのか？　私の考えでは、「固定観念の破り方」を学ぶためだ。固定観念は、その時代の人々のほとんどが信じているから、何が固定観念なのかさえ、自覚をもつことすら難しい。だが歴史に名を残した人は、何が固定観念なのかを見破り、新しい時代のあり方を提案してきた。それを学ぶためだと私は考えている。

私たちが歴史から学ぶのは、「過去」ではなく「今」、そして「未来」のためだ。今の固定観念は何なのか、それを打ち破るにはどうしたらよいか、その「作法」を学ぶことだろう。

たとえば、「エネルギーは国家の根幹」とよくいわれる。確かにエネルギーを確保できない国は産業が衰退し、国家の力が低下するというのがこれまでの常識だった。だが、この理解には固定観念が潜んでいないだろうか？　エネルギーが乏しくても元気で、世界に存在感を示す国家像はあり得ないのだろうか？

私たちの身近なところに固定観念がある。それを見破る方法、見破った後、新しい解決法を提案する方法。そのコツを、哲学者や思想家の足跡を追うことで、学びとる。哲学や思想を学ぶには、そうした視点をもつといっそう身近に感じられるのではないだろうか。

だから哲学や思想を学ぶときは、まず時代背景を知ることだ。当時の人々がどんな常識に縛られていたかを知れば、その哲学や思想がどれだけ「常識はずれ」だったかがわかる。なぜそんな常識はずれを思いついたのかを考えれば、「常識の破り方」がだんだん見えてくる。

現代に根強い「経済成長は必要」という「常識」は本当なのか？　経済成長せずにやっていける社会は本当に創れないのか？　浪費社会でなくても経済を回せるシステムはできないのか？　「固定観念」を見破り、切り込んでいく。その作法を学ぶために、哲学や思想は参考になる。

そうした「常識破り」の作法を、多くの人に学んでいただきたい。そして子どもたちがこれからの時代をよりいっそう楽しく生きていける世界にしていただきたい。本書がそのきっかけになることを願っている。

CONTENTS

1 西洋哲学・思想
過去の常識を破り、新常識を創った人たち

現代の哲学・思想

2

東洋思想

再解釈を繰り返す思想

3

最後に

イラストレーション
中村 隆
図版作成
タナカデザイン
ブックデザイン
アルビレオ

1

西洋哲学・思想

過去の常識を破り、新常識を創った人たち

古代哲学・思想

ソクラテス

「知」を凡人のものに変えた

ソクラテス（紀元前470年頃～紀元前399年）の名前は聞いたことがあるけれど、何をしたのかよくわからない、という人は多いのではないか。高校で勉強した人だと「無知の知、の人でしょ！」と答えてくれるかもしれない。

私も「無知の知」を習ったけど、それのどこがすごいのかはわからなかった。「自分の無知を自覚している」なんて、ちょっと考えてみれば私にも理解できる。誰もが、自分の知らないことなんていくらでもあるということを自覚している。それのどこがすごいんだろう？

おそらく、ソクラテスのすごさはもっとほかのところにある。それは、天才だけが「知」を独占していたのを、私たち凡人でも生み出せるものに変えたことにあるように思う。

ソクラテスは若者に大変人気のおじいさんだった。弟子のプラトンが書いた『饗宴《きょうえん》』

という本からもその様子がうかがえる。当時の大都市アテネには、現代の超人気アイドルに負けない人気者がいた。その名はアルキビアデス（紀元前450年頃〜紀元前404年）。非常な美青年で知力、武力、弁舌のありとあらゆるものに優れ、アテネどころかライバル都市のスパルタや、ギリシャ共通の敵ペルシャ帝国でも人気を博したほど。この超絶人気者が、ソクラテスの魅力について熱く語っているシーンが登場する。

なぜアルキビアデスはソクラテスのそばから離れたがらなかったのだろう？　ソクラテスには恐るべき技術があったからだ。その名を「産婆術《さんばじゅつ》」という。

産婆術とは本来、赤ちゃんが生まれるのを手助けする助産師の技術のことだ。ソクラテスは「知識が生まれるのを手助けする」技術をそう呼んだ。

ソクラテスは知識が豊富だったはずなのに、自分が説教するより若者から話を聞きたがった。若者に「ほう、それはどういうことだね？」と問う。すると若者はウンウン考えて答える。それに対して再び「ほう、それとこれを結びつけて考えるとどういうことになるだろう？」とさらに問うた。

これを繰り返していくと、若者は問いによって頭脳が刺激され、今まで考えたこともないアイディアが自分の口から飛び出てくることに驚いた。「俺《おれ》ってこんなに賢かったっけ？」。ソクラテスのそばにいると、泉から水がコンコンと湧き出すように知恵が生まれてくる。その快感が忘れられなくて、ソクラテスのそばを離れたがらなかったらしい。

産婆術の威力は、プラトンの著作『メノン』に描かれている。ソクラテスは友人宅の召《めし》使《つかい》と一緒に図形について語り合った。二人とも数学の素養はない。けれどソクラテスが召使に「ここはどうなっているかな?」「だとしたらどうなるだろう?」と問いを重ねていくうち、誰も発見したことのない図形の定理を発見してしまった。

これは大変興味深い。もともと知識のない者同士でも、問いを重ね、答えるうちに、誰も気づいたことのない「知」を発見することができるなんて! ソクラテスが「産婆術」と呼んだその技術の威力がうかがえるシーンだ。

ソクラテスが現れる以前、「知」は天才だけが生み出せるものと考えられていた。ソクラテスと同時代人にプロタゴラス(紀元前490年頃~紀元前420年頃)と呼ばれる天才がいた。知らぬことは何もなく、何を尋ねてもたちどころに見事な回答を出す知の巨人として評判だった。知識は、こうした天才から教えてもらうものだと思われていた。

しかしソクラテスは、凡人同士でも問いを重ね、考えを深めていけば新たな知を発見できる方法、産婆術を発明した。これは現代科学にも通じる。現代では一定の訓練を受ければ研究者となり、新たな発見をする作法が身につけられる。それには格別な能力が必要なわけではない。ソクラテスの産婆術は、凡人でも知を生み出せる方法だった。その意味で、ソクラテスの産婆術は革命的だったといえるだろう。

ところでソクラテスの産婆術は、無知を自覚する若者に対しては知を創造する技術となるのに、自分のことを天才だと思っている人に向けると「弁証法」に姿を変え、その人物の無知ぶりを暴き出す武器となってしまう。

前述の天才・プロタゴラスに、ソクラテスは会いにいった。というのも、その少し前に古代ギリシャの神殿（デルフォイ）から「ソクラテスよりも知恵のある者は誰もいない」という神託《しんたく》が出て、ソクラテスは「そんなはずはない」と思ったからだ。神託の真意を確かめるため、ギリシャ一の天才、プロタゴラスを訪ねてみたのだった。

そして若者にいつもそうするように、問いを発した。プロタゴラスはたちどころに答え、見事に解説した。普通の人ならそこで感心して終わりだったろう。しかしソクラテスはさらに問いを重ねた。プロタゴラスは答えた。またしても問いを重ねた。

そうこうするうち、次第にプロタゴラスは矛盾した話をするようになった。ソクラテスがその矛盾に問いを重ねていくと、プロタゴラスは言葉に詰まり、「実は私は、そのことにあまり詳しくないのだ」と白状するに至った。

ゴルギアス（紀元前483〜紀元前376年）も天才とうたわれた一人だったが、ソクラテスに同じ痛い目に遭《あ》わされた。ソクラテスの問いに答えきれなくなり、ついには自分の無知ぶりを白状せざるを得なくなった。

　これらの経験から、ソクラテスは「彼ら天才より優れている面があるとすれば、私は自分の無知を自覚している点だろうか」と考えたという。これが教科書にも載《の》っている「無知の知」の発見、というエピソード。

　でも繰り返すが、「無知の知」は面白いエピソードだけど、そんなに重要か、というと、私は首をかしげざるを得ない。それより興味深いのは、なぜ「若者」と「天才」で結果が違うのか、という点だ。若者相手に問いかけると新しい知を生み出す「産婆術」になるのに、天才に問いを向ければ、その人の無知ぶりを暴き出す「弁証法」という恐ろしい武器に変わってしまう。なぜこんなことが起きるのだろう?

　これはおそらく、「天才」が手持ちの知識で当座をごまかそうとする「閉じている」姿勢なのに対し、若者は外の世界に心が「開いている」からだろう。若者は無知を自覚しているから、知らないことは知らないと平気で口にでき、ソクラテスが問いの際に付け加える「これと組み合わせて考えたらどうなるだろう?」という提案も大胆にとりいれながら、問答を楽しめる。心が開いている者に対してなら、知を創り出す「産婆術」となり、閉じている者に対してはその知識の窮屈さ、融通の利かなさを暴き出す「弁証法」になってしまうのだろう。

プロタゴラスのような天才をあがめ、その教えを聞くだけの姿勢では、弟子は天才の劣化コピーでしかなくなる。どれだけ鮮明なコピー機でも、コピーを繰り返すと劣化は避けられない。知の伝達は、コピーだけではうまくいかない。

ソクラテスの「産婆術」は異なる知識を組み合わせ、新たな知を創造することを可能にした、科学や思想を発展させる原動力になったといえるだろう。人類史にとって非常に大きな「常識破り」を成し遂げたといってかまわないだろう。

ちなみに、ソクラテスの産婆術は名前を変えて今も活かされている。コーチングだ。コーチングでは質問の仕方（5W1H、つまりWhen（いつ）、Where（どこで）、Who（誰が）、What（何を）、Why（なぜ）、How（どのように））を工夫して本人に考えさせ、答えを導き出すのをアシストする。これはまさに産婆術だ。コーチングはテニスコーチだったW・ティモシー・ガルウェイ（1938年～）が体験の中から見出した指導法だったが、これが産婆術そっくりという点が興味深い。「教える」のではなく、本人に考えてもらう。そのために問いを発して頭脳を刺激する。このコーチングはビジネスの世界にも広がり、「ソクラテスの弟子」はますます増殖を続けている。

古代哲学・思想

プラトン

国家を人の手でデザインする？

プラトン（紀元前427～紀元前347年）も名前くらいは聞いたことがあるけど、何をした人かは知らない人が多いのではないだろうか。プラトンはソクラテスの弟子だった人。そしてプラトンがいなければ、私たちはソクラテスを知ることができなかったかもしれない。ソクラテスは自分では著作を一つも残していないからだ。プラトンの著作のほとんどがソクラテスを主人公にしており、そのおかげでソクラテスの偉大さが今に至るまで伝わっている。これだけでもプラトンの功績は大きい。

さて、プラトンといえば「イデア論」が有名だけれど、それについては多くの書籍が紹介しているから、ここでは省くことにする。

本書でプラトンの「常識破り」として紹介したいのは「国をデザインする」という大胆不敵なアイディアについてだ。

現代人の私たちでも、個人が国みたいな巨大組織をどうこうできるとは思えないだろう。個人はあまりに小さく、国家は巨大。人間がデザインできるはずがない。そう考えるのが普通だろう。

ところがプラトンは、「国家は人間がデザインできる」と言い出した。プラトンは、ソクラテスみたいに優れた哲学者が統治者になれば、その国は理想の国家になるだろう、と考えた（哲人国家）。

こんな大胆不敵な、誰も構想しなかったことを、なぜプラトンは思いついたのだろうか？　これには、ある伝説的人物が関係している。

その人物の名は、リュクールゴス（前11世紀から前8世紀の人物）。古代ギリシャには、プラトンの生まれ育ったアテネという都市国家のほかに、ライバルのスパルタがあった。スパルタは「スパルタ教育」という言葉に残っているように、優れた戦士を生む国（ポリス）として知られていた。このスパルタを強国に作り変えたのがリュクールゴスだという。

リュクールゴスは、スパルタの慣習や国家のシステムを全部デザインし直し、強い戦士をたくさん生み出すギリシャ一、二を争う強国に変えたという。その伝説は『プルターク英雄伝』（プラトンから400年以上のちの本）にも描かれている。

プラトンはそのリュクールゴス伝説をもとにし、国家を根底からデザインし直す、という着想を得た。そして、ソクラテスのように優れた哲学者が統治するなら、素晴らしい国家になるに違いないと主張した。

しかし、ここで私は矛盾を感じる。ソクラテスは知を凡人でも生み出せるものに変えた人物なのに、プラトンはソクラテスを一種の天才とみなし、凡人と区別してしまっている。私には、ソクラテスがそんなことを望む人物だったとは考えられない。

さて、「国家をデザインできる」というプラトンの着想は、後世に多大な影響を与えたようだ。天才ならば国家を創作してもかまわない！　そう解釈することもできるからだ。

フランス革命のさなか、政敵を皆殺しにして「恐怖政治」を敷《し》いたロベスピエールは、自分の理想とする国家を建設するためには、邪魔者を排除してもかまわないと考え、ライバルを虐殺した。

ナチスのヒトラー（１８８９〜１９４５年）は、ドイツを導く天才的指導者というイメージを巧みに作り上げ、ユダヤ人の大量虐殺を行った。

カンボジアのポル・ポト（１９２５〜１９９８年）は、「全国民が農民になれば理想の国家になる」と考え、この構想に反対する人間を虐殺した。少しでも知識のある人間は反逆の恐れありとみなされ、学者や教師が大量に殺された。その後、カンボジアは長い停滞に苦しむことになった。これらの事例は、「国家をデザインできる」というプラトンの影響が見え隠れする。

『ユートピア』は、トマス・モア（1478〜1535年）が書いた、理想郷のお話だが、興味深いことに、トマス・モアはプラトンについて語っている。現在の社会、国家のあり方を根底から疑い、理想の国家をゼロベースでデザインしよう、という発想は、プラトンの影響を受けているといえるだろう。

欧米や日本は、今や民主主義の国となっている。この民主主義も、プラトンの影響下にあるといえる。ルソーという人物が『社会契約論』という著作によって、みんなの意見を反映させて国家を運営する民主主義というシステムを提案した。この著作はフランス革命に大きな影響を与え、民主主義の国が生まれる原動力となった。それまでの国は王様が支配する封建主義の国だったのに、民主国家を創れると考えたルソーの大胆さは、驚きだ。「国家は人の手でデザインできる」という発想がプラトンによって提示されていたからこそ、できたことだろう。

国家を人間の手でデザインする。この常識破りな着想は、民主主義という新たな常識を生み出す決定的な力になったように思う。

古代哲学・思想

アリストテレス

「観察」するというアプローチを普及

ソクラテスやプラトンが登場する前の時代は、天才が突然変異的に生まれて知識が創造される、という印象が強い。数学の天才として知られるピタゴラス（紀元前582〜紀元前496年）や、医学の父ともいわれるヒポクラテス（紀元前460年頃〜紀元前370年頃）もそんな感じ。知識とは大天才が偶然この世に生まれ、創造するまで待つしかない、とされていた感じが強い。

ソクラテスの「産婆術」が、凡人でも知を発見できることを示したのはすでに述べたが、アリストテレス（プラトンの弟子、紀元前384〜紀元前322年）もまた別の形で、凡人にもできる知の発見法を示した人物だ。それが「観察」。

「観察」というのは、ただ「見る」のとはわけが違う。看護師として活躍したナイチンゲール（1820〜1910年）は、次のような言葉を残している。

「経験をもたらすのは観察だけなのである。観察をしない女性が、50年あるいは60年病人のそばで過ごしたとしても、決して賢い人間にはならないであろう」

ただ見ているだけでは、すでに知っていること、気づいていることしか見えてこない。道端《みちばた》に転がっている石は、視界に入っていても意識されることはない。観察とは、今まで知らなかったこと、気づかなかったことを意識的に探そう、見つけ出そうとする行為。ナイチンゲールは看護師として活動する中で、患者の微細な変化に「気づく」ことが大切であり、そのためには気づかなかったことに気づこうとする「観察」が大切だと考えた。そしてこの「観察」を、ありとあらゆる分野で実践したのがアリストテレスだった。

アリストテレスは、この世に存在するありとあらゆるものを観察してやろうとしたらしい。博物学、倫理学、政治学、論理学、心理学など、ありとあらゆる学問を手掛けている。アリストテレスにとって、すべてが知的好奇心の対象だったのだろう。

私たちは、「見る」ことはしても「観察」はなかなかできていない。野に咲く花を見て「タンポポだな」で済ますことが多い。しかしいざ観察してみると、花びらは何枚あるのか、おしべはどんな風に生えているのか、花びらの下にある緑色の部分（がく）は反《そ》り返っているのか、根はどこまで深く張っているのか、などと、それまで気にも留めていなかった特徴がどんどん見えてくる。観察は、気にも留めていなかったことに関心をもち、知らなかったこと、気づかなかったことを見つけようとする行為だ。

アリストテレスは身をもってそれを実践した。この姿勢はのちに科学の基礎になる。しかも「観察」は、何も大天才でなくても、それまで誰も気づいていなかったことに気づこうとしさえするなら、誰でも発見が可能だからだ。

アリストテレスの「観察」はあまりにも強力なために、中世西ヨーロッパ（西欧）ではかなり長い間嫌われることになった（5世紀から13世紀頃まで）。現実をよく観察すれば、中世キリスト教の教えと矛盾する事実がいくつも発見される恐れがあったからだ。このため、アリストテレスの著作は長い間禁書になっていた。

西欧の人々は、ローマ帝国の時代まではアリストテレスをよく知っていたけれど、中世に入ってからはすっかり忘れていた。しかし十字軍（後述、１０９６〜１２７０年）で中東に攻め入ると、そこではアリストテレスの哲学が受け継がれていた。

アリストテレス哲学と出会い、その魅力にとりつかれた人たちが続出し、禁書にしてもおさまりがつかなくなった。そこで、キリスト教とアリストテレス哲学をどうにか融合しようと、トマス・アクィナスは『神学大全』にまとめた（後述）。しかしアリストテレスの「観察」は、やがてキリスト教支配にヒビを入れ、ルネサンスが始まるきっかけをつくることになった。ガリレオやケプラーが天体の動きを「観察」することで、それまで教会が正しいとしてきた天動説を否定せざるを得なくなることにもつながった。

アリストテレスの提案した「観察」は、キリスト教以外の考え方を知らなかった西ヨーロッパ（西欧《せいおう》）の人たちの目を開くことにつながっていった。しかしそれは、もう少し後のお話。

中世の哲学・思想

聖アウグスティヌス

ビッグバンの元ネタ？

聖アウグスティヌス（354～430年）は、西欧キリスト教の世界に絶大な影響を及ぼした人物だ。しかしこの人物は、大変な時代を生きることになった。「ゲルマン人の大移動」（375年以降）だ（図1）。

プラトンやアリストテレスが活躍したギリシャ文明を引き継ぐ形で発展した古代ローマ帝国（紀元前753～476年）は、この「ゲルマン人の大移動」によって滅びることとなった（ただし東ローマ帝国はしばらく存続した）。ゲルマン人が西ローマ帝国を崩壊させてしまったために、ヨーロッパ全土に配備された兵士たちは給料をもらえなくなった。給料がないから武具を修理できず、武具のメーカーは倒産し、そこに材料を出荷していたメーカーも倒産し……と連鎖倒産が相次ぎ、西ローマ帝国は経済的にも機能しなくなった。

図1　ゲルマン人の大移動の概略図（★筆者作成。以下同）

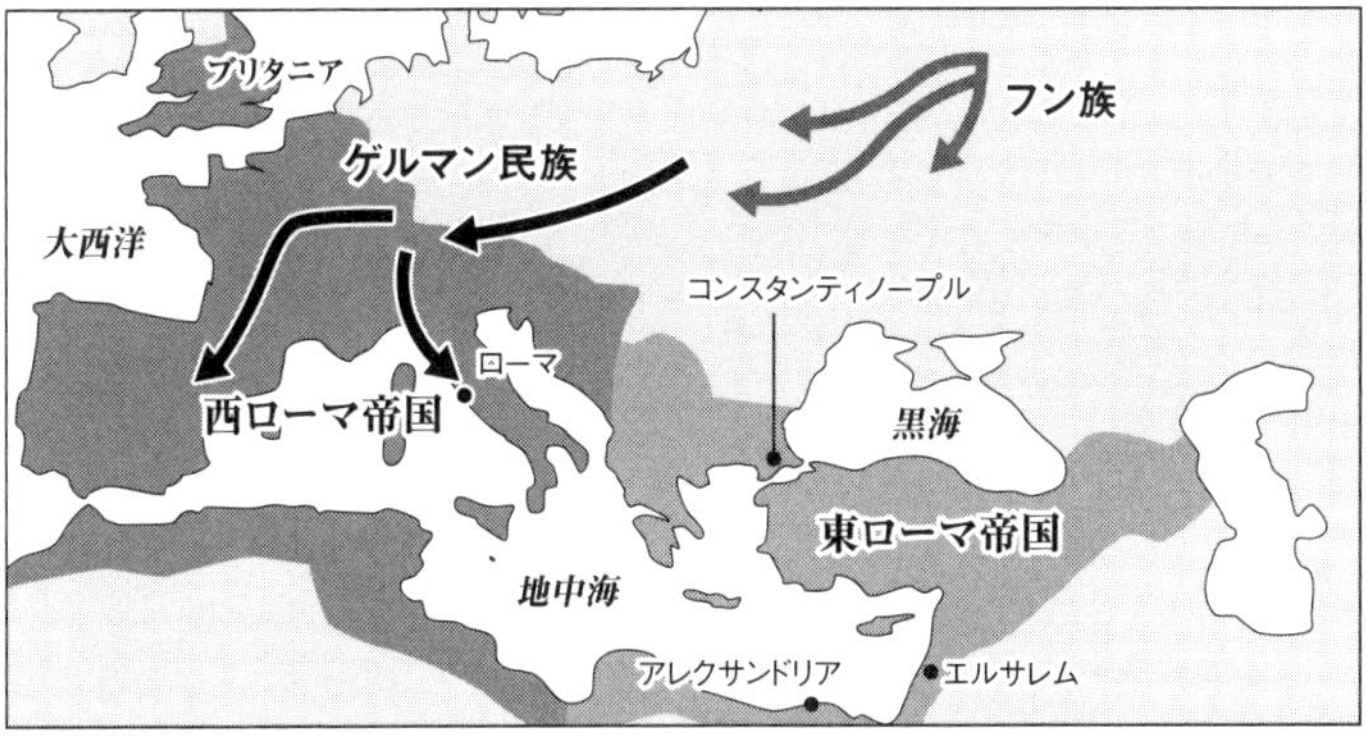

そんな時代の西欧で精神的指導者だったのが、聖アウグスティヌスだった。『神の国』という本を著し、ゲルマン人によって西ローマ帝国が滅ぼされたのは新約聖書（ヨハネの黙示録）に書かれていることの世の終わり（ハルマゲドン）が近づいている証拠であり、私たちが「神の国」に入るために必要な過程だったのだとして、西欧の人々を励ました（このあたりの世界観はアニメ『エヴァンゲリオン』に色濃く反映されている）。

ゲルマン人の大移動で西ローマ帝国の社会と経済はズタズタに破壊されてしまったが、そんな中でも、教会間で情報交換を続けていたキリスト教の僧侶たちは、文字を読み書きできる、西欧では数少ない知識人となった。このため、西ローマ帝国崩壊後の中世の時代では、僧侶たちが指導者となった。

さて、余談になるけれども、聖アウグスティヌスの『告白』という本には、個人的に強く興味をひく記述がある。ビッグバンという現代の宇宙理論にひどく似ているからだ。

ビッグバン理論によると、この宇宙が誕生する前は時間も物質も空間も何もなく、「無」から宇宙が爆発的な形で誕生した、という。現在の科学では、ビッグバンはほぼ定説となっている。

ところが聖アウグスティヌスの『告白』には、このビッグバンとよく似た記述がある。時間も流れておらず、物質も空間も何もない状態から世界が生まれた、と書いてある。

ビッグバンという科学の理論も、もしかしたら聖アウグスティヌスのこの記述からヒントを得ていたのかもしれない。いや、もしかしたら、時間をさかのぼり、宇宙の起源を考えると、誰もが同じような推理にたどり着くということなのかもしれない。

聖アウグスティヌスの思想は、中世西欧で知識人が僧侶に限られていくにしたがって、浸透していった。その意味で、西欧の人たちに絶大な影響を与えた人物だった。

中世の哲学・思想

中世

キリスト教が支配する時代

西ローマ帝国が崩壊すると、西欧地域は文明が著しく後退し、新石器時代の水準にまで技術が低下したという。数百年間にわたって技術も文化も停滞したため、「暗黒時代」とも呼ばれている。これが西欧の「中世」だ。

中世では食料もうまく作れなかったらしい。その原因はローマ帝国の時代にある。ローマ人は異国を占領すると、大地主となり（ラティフンディウム制度）、奴隷たちに畑を耕させた。奴隷たちに働かせて自分たちは都会で裕福に暮らすようになった。農地のそばにいない、いわゆる不在地主だ。

不在地主は都会で裕福に暮らすことだけを考えるようになるので、農地をどうやって肥やすのか気にしなくなった。他方、大規模農園で働く奴隷は命令されて耕すだけだから、土壌がどうなろうと知ったことではない。土壌は堆肥《たいひ》を入れるなどの世話をしないとやせていく一方の「資源」。ラティフンディウムという大規模農業は、西欧の土壌をやせさせてしまった。

ローマ帝国は、不足する食料をアフリカから輸入するようになった。現代人の私たちからすると、エジプトといえば砂漠のイメージが強いが、当時はナイル川の恵みを受けた大穀倉地帯だった。そこで作られた食料をローマに運び、不足分を補うようになった。他方、ローマ近郊の農地は、やせた土地でも育ち、しかも高く売れるブドウを育て、ワインを作るようになった。こうして、西欧では十分な食料を作ることができない環境をジワジワ準備することになった。

この状況で、ゲルマン人の大移動（375年以降）が起きた。前述したように、ゲルマン人は西ローマ帝国の経済的ネットワークをズタズタにしたため、いろんな産業で連鎖倒産が相次ぎ、西ローマ帝国の経済システムは破壊されてしまった。

特に食器は象徴的だ。古代ローマ帝国で作られた食器は薄くて軽くて丈夫だった。高い技術で製造され、大量生産なので安く、庶民でも購入できた。運送業もしっかり機能していたので、辺境の地であるブリタニア（イギリス）でもこの時代の食器が大量に発掘されるという。

ところが西ローマ帝国が崩壊し、中世の時代になると食器はほとんど発掘されない。たき火の上に粘土を置いて焼くような原始的な土器だったため、すぐボロボロに崩れて土になってしまうからだ。

経済ネットワークをズタズタにされたから、エジプトから食料を運ぶこともできなくなった。お金がないからワインを買う人も激減した。すると地主たちも次第に没落し、農家に戻って、自給自足の生活をせざるを得なくなった。

しかし、不在地主によるずさんな農地管理が長く続いたために土壌がほとんど失われ、石灰岩が露出したような畑となり、ろくに作物がとれなくなっていた。ここに気候の寒冷化も重なり、食料生産が大幅に減ってしまった。そのことがさらに西欧地域の没落に拍車をかけた。

自ら農地を耕し、食べるだけで精一杯の生活では、とても学問するゆとりはない。古代ローマの時代には庶民も読み書きできたようだが、中世の時代には僧侶以外は読み書きできなくなってしまった。

こんな中世の時代にかろうじて知識人として生き残ったのが、各地に点在していた教会の僧侶たちだった。古代ローマ帝国では、コンスタンティヌス帝（270〜337年）の時代にキリスト教が公認され、各地に教会が作られていた。西ローマ帝国が崩壊し、経済ネットワークがズタズタにされた中世でも、僧侶たちのネットワークは生き続けた。このため、文字を読める知識人でもある僧侶は、中世西欧の世界で指導的な役割を果たすようになった。

やがて西欧の気候が温暖になり、食料生産が増え始めると、西欧の外へ侵略を始める機運が生まれた。それが十字軍だ。

中世の哲学・思想

十字軍

外に攻めて出会った「黒船」

私は、十字軍のことを日本にとっての「黒船」と似ている、と考えている。日本の明治維新（1868年）の少し前、次のような狂歌があったことをご存じだろうか。

「泰平の眠りをさます上喜撰《じょうきせん》（蒸気船）たった四盃《しはい》で夜も寝られず」

上等な宇治茶を上喜撰と呼ぶのにひっかけて、蒸気船、つまり黒船が来ただけで日本中が恐怖で眠ることもできない大騒ぎになってしまった、という皮肉な歌だ。しかしこの黒船来航がまさに日本人の目を覚まし、明治維新のきっかけになった。

実は「黒船」と同様の効果を西欧に与えたのが、十字軍だ。黒船はアメリカから日本に攻めてきたもの、十字軍は西欧から中東を攻めたもの、と、攻守が逆ではあるけれど、十字軍は自分たちの住む世界の外に、全く異なる文明文化をもつ人たちがいることに気がつくきっかけを与えた。それがやがてルネサンスを引き起こすことになる。十字軍＝黒船、ルネサンス＝明治維新、というわけだ。

十字軍に参加した人たちは、キリスト教の理想に燃えていた。異教徒に支配されている聖地エルサレムを奪還するのだ！　と。しかし現地の人たちにはたまったものではなかった。十字軍は現地の人々を大量虐殺し、エルサレムの宮殿はくるぶしまで血の海に浸かったという。異教徒を人間とみなさなかったからだ（図2）。

しかし十字軍で西欧人は意外なものに出会うことになる。古代ギリシャ・ローマの文明。しかもその文明は本来、自分たちの住んでいる西欧で繁栄していたものだと聞いて驚いた。自分たちは完全に忘れていた。なのに異教徒であるイスラム教の人たちがプラトンやアリストテレスなどの学問を伝え、研究も重ねられていた。

キリスト教徒に反省を促したきっかけは、異教徒側の英雄・サラディン（サラーフッディーン）だろう。キリスト教徒は異教徒を残虐に殺したのに、サラディンはキリスト教徒の捕虜を、身代金もとらずに釈放した。戦えば強く、判断も的確、しかも寛容。キリスト教徒より立派な人物だ、と西欧人も認めざるを得なかった。

この「発見」は、キリスト教だけを信じてきた西欧の人々に、大きな反省をもたらすことになった。キリスト教徒よりも異教徒の方が人間的に立派なんじゃないか、その理由はもしかしたら、自分たちが忘れ去っていたプラトンやアリストテレスなどのギリシャ哲学

図2 十字軍の進路

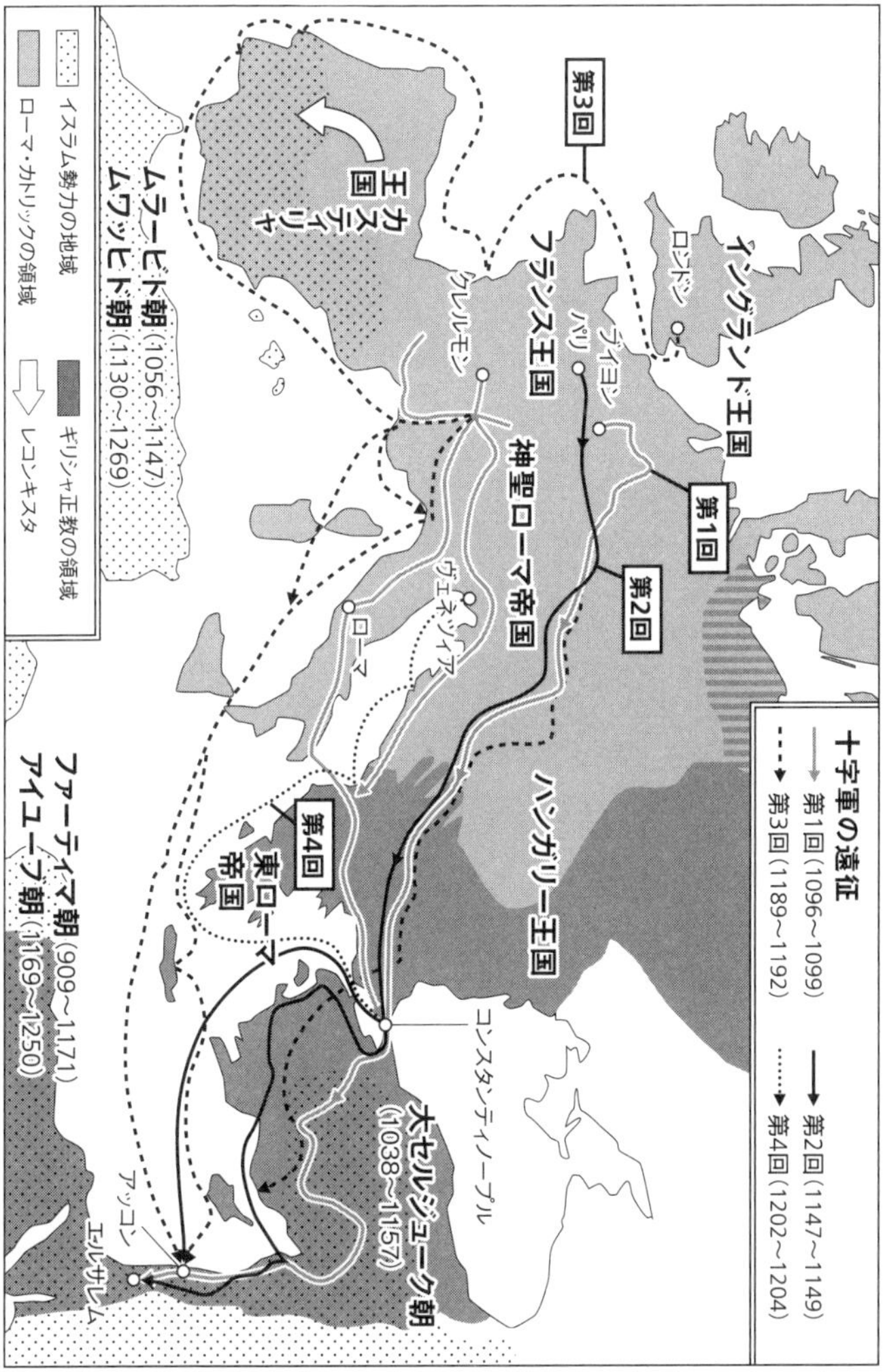
十字軍の遠征
第1回（1096～1099）
第2回（1147～1149）
第3回（1189～1192）
第4回（1202～1204）
イングランド王国
ロンドン
フランス王国
パリ
ディジョン
クレルモン
カスティリャ王国
神聖ローマ帝国
ヴェネツィア
ローマ
ハンガリー王国
コンスタンティノープル
東ローマ帝国
大セルジューク朝（1038～1157）
アッコン
エルサレム
第1回
第2回
第3回
第4回
ムラービト朝（1056～1147）
ムワッヒド朝（1130～1269）
ファーティマ朝（909～1171）
アイユーブ朝（1169～1250）
イスラム勢力の地域
ギリシャ正教の領域
ローマ・カトリックの領域
レコンキスタ

にあるんじゃないか。これらの哲学を、キリスト教の僧侶たちは黙っていた。隠していた。それっておかしいんじゃないか？

しかも、正義の戦いであるはずの十字軍は、何度戦っても結局は失敗に終わった。第四次十字軍なんかはひどくて、同じキリスト教国である東ローマ帝国の首都（コンスタンティノープル）を陥落《かんらく》させてしまった。いったい何をやっているのやら。自分たちキリスト教徒は本当に正しいのだろうか？　という疑念が、十字軍をきっかけに生まれた。

十字軍は、キリスト教会の僧侶たちが西欧の人たちを意のままに動かすことができる、権力の絶頂にあったことを示す証拠でもあったが、皮肉なことに、教会への不信を育てるきっかけにもなった。そしてその不信・不満は、やがて僧侶や教会への疑問へと膨《ふく》れ上がり、ルネサンス、そして宗教改革をもたらすことになった。

中世の哲学・思想

トマス・アクィナス
キリスト教を救済しようとしたけれど

中世西欧ではキリスト教が圧倒的で、プラトンやアリストテレスといった古代ギリシャの哲学は忘れ去られていた。ところが十字軍が中東や東ローマ帝国を攻めたことで、その地で受け継がれていた哲学を「逆輸入」することになった。プラトンに関しては、すでに紹介した聖アウグスティヌスが好きだったこともあって、中世においても比較的よく研究されていたけれど、厄介なのはアリストテレスだった。

アリストテレスは現実を「観察」することを勧めた。現実をよく観察すれば、教会の僧侶たちがしゃべってきたことと矛盾する新事実が次々発見される恐れがある。中世西欧の世界では、聖書にはこの世のことすべてが書かれていると信じられていたのに、アリストテレスの「観察」を実践すれば、聖書にはない事実が見つかってしまう。その危険性があるから、アリストテレス哲学は長らく禁止されていた。しかし十字軍をきっかけに、アリストテレス哲学の流行を抑えきれなくなってしまった。

トマス・アクィナス（1225年頃〜1274年）は、キリスト教をアリストテレス哲学で解釈し直すことで、アリストテレスとキリスト教の矛盾を解消し、キリスト教を救済しようとした。トマスの著作『神学大全』は一定の成功をみせ、アリストテレス哲学はキリスト教に反するものではなく、補完するものとして位置づけられた。

しかし、アリストテレスの「観察」を続ければ、教会の僧侶でなくてもこの世界の新事実に気づく人は増えていく。結局、トマスの努力は、キリスト教支配を延命させるだけに終わったといえるだろう。

ルネサンスの哲学・思想

ルネサンスと宗教改革

十字軍からの2つの革命

十字軍によって西洋の人々は、西欧の外にはきらびやかな文明・文化が息づいていることに気づかされた。なぜ西欧は何百年も変化がないのだろう？　なぜ異教徒たちの方が豊かに暮らし、華やかな文明を楽しめているのだろう？　その疑問から、ルネサンスが始まっていく。

中世では、神に従うことばかりを教会から教えられてきた。人間は罪を負った悪い存在として教えられてきた。けれど、十字軍で出会った古代ギリシャ哲学は、あっけらかんと人間を肯定していた。そのことに感銘を受けた西欧の人々は、次第に「文芸復興」とも訳されるルネサンスに魅了されていった。

ボッカッチョの『デカメロン』は、ルネサンスが花開くきっかけを提供した。この本は、僧侶たちの堕落《だらく》ぶりを、エロスとして描くことで暴き立てた、「命がけのエロ本」だった。僧侶の悪口なんか書いたら天罰が下るはずなのに、ボッカッチョは比較的平穏に生きた。このため「僧侶の悪口をいっても大丈夫なんだ」ということが当時の人たちに知れ渡ってしまった。僧侶の言うことに縛られず、自由に思考する人が増えていった。

ルネサンス期に入ると、絵画がガラリと変わった。中世の絵では女性の裸なんてもってのほかだったのに、ルネサンスではやたら裸が出てくる。人間の存在を肯定する気持ちが絵からもあふれ出ている。この時代、レオナルド・ダ・ヴィンチ（１４５２〜１５１９年）やミケランジェロ（１４７５〜１５６４年）など、錚々《そうそう》たる画家が大活躍した。

ところで興味深いことに、彼らに絵画を発注したのは、司教とか教皇とか、キリスト教会の重鎮《じゅうちん》が多かった。なのにミケランジェロの『最後の審判』に最初描かれたのは、全員裸。さすがに教皇庁が服を着せろと注意して、弟子が服を描いたらしいけども。それでも胸もあらわな女性が描かれたまま。当時の教会の僧侶は、ルネサンスの華やかさを最先端で楽しんでいた人たちでもあった。

さて、ルネサンスは西欧全域で起きたわけではなく、アルプス山脈より南側（イタリア）で主に起きた現象だった（図3）。その北側（ドイツなど）では、ルネサンスとは正反対に思える出来事が進行した。それが、宗教改革。

中世の教会は、十字軍を派遣するためにある商品を発明した。免罪符《めんざいふ》。これを買うと罪が許され、天国に行けるとされた。その売り上げは莫大で、教会の懐《ふところ》を潤《うるお》した。これに味を占めた教会は、たびたび免罪符を発行し、金儲《もう》けに走るようになった。

しかも教皇や司教たちが率先して、ルネサンスの文化を楽しんでいた。アルプス以北のまじめなキリスト教徒は、南側の人たちの堕落ぶりに怒りを覚えていたようだ。

図3　ルネサンスと宗教改革が起きた地域

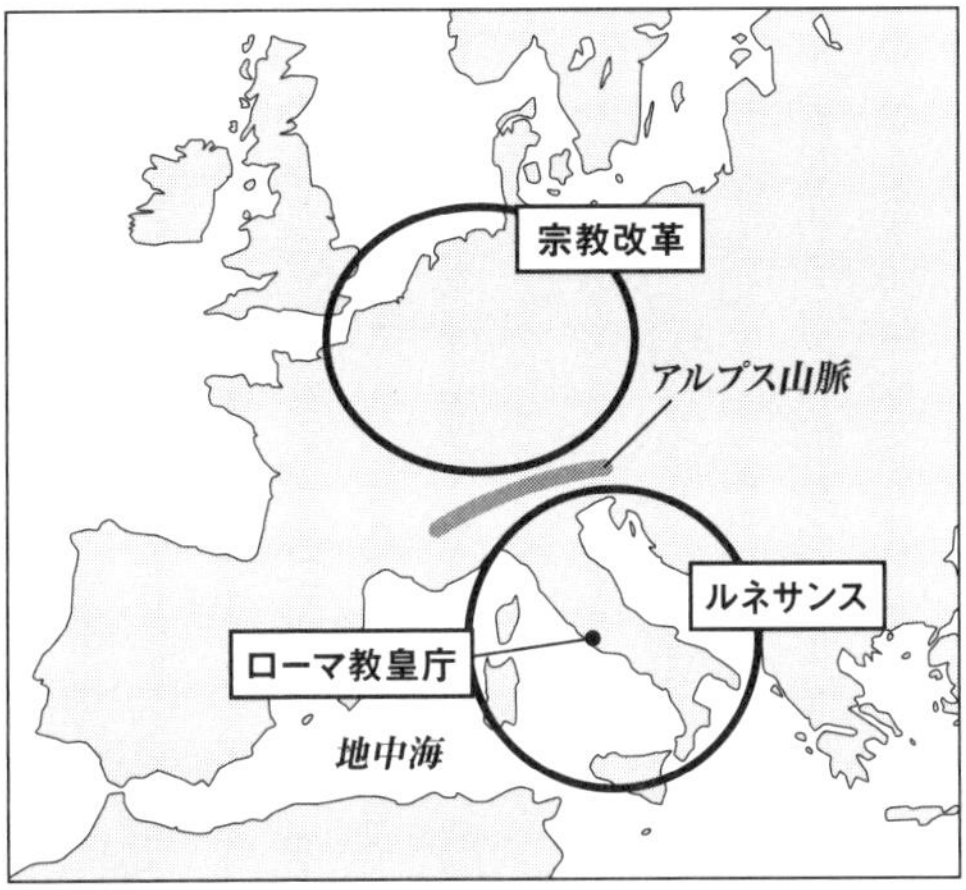

そんな状況にはっきりと反旗を翻《ひるがえ》したのがマルティン・ルター（1483～1546年）だった。ルターは教会の僧侶たちと問答を重ねているうち、「教会と僧侶は必要なのか？」と疑問をもつようになり、聖書さえあれば僧侶も教会も要らない、という考え方に傾いていった。聖書原理主義ともいえるだろう。こうした動きが「宗教改革」と呼ばれた。

宗教改革にはルター以外にもジャン・カルヴァン（1509～1564年）などが登場し、教会に反旗を翻す人々が現れた。旧来の教会を支持する人たちはカソリック（旧教）、新しい考え方を支持する人たちはプロテスタント（新教）と呼ばれた。やがて旧教と新教との間では、文字通り「血で血を洗う」争いが繰り広げられることになった。

アルプスより南のイタリアではルネサンスが起き、北のドイツなどでは宗教改革が起きた。アルプス以北の人たちからすると、教会の僧侶たちが非キリスト教の文化、流行を楽しんでいる、堕落していると考えたのかもしれない。

それにしても、千年近くも続いてきたキリスト教支配が、なぜルネサンスや宗教改革という形で大きく揺らぐことになったのだろう？

活版印刷の普及が大きな影響を与えたようだ。中世は本を手写し・手作りするしかなく、大変な労力と時間が必要だった。当然、高価なので、教会の僧侶くらいしか本を持つことができなかった。

しかしルネサンスになると活版印刷が発達し、大量の本を安価に作れるようになった。それまで知識を仕入れるには教会で僧侶のお説教を聞くしか方法がなかったのに、本を読めば様々な知識を手に入れられるようになった。古代ギリシャの哲学も、こうして一般の人々に広がった。

活版印刷は宗教改革にも大きな影響を与えた。庶民でも聖書を買えるようになったからだ。キリスト教の教えも僧侶だけの独占物ではなくなり、一般の人々が自分で読んで考えることができるようになった。活版印刷が、ルネサンスと宗教改革を可能にする原動力になった。

アルプス以南で発達したルネサンスはその後、ガリレオやデカルトなど、科学や合理主義の発展へとつながっていく。他方、アルプス以北の宗教改革も、後世に大きな影響を与えた。新教（カルヴァン派）では、天国に行ける人間はコツコツまじめに働く人間だ、としていた。そのまじめさは、やがて資本主義の原動力になった、とマックス・ヴェーバー（1864〜1920年）は分析している（『プロテスタンティズムの倫理と資本主義の精神』）。宗教改革もまた、現代社会を形作る力となったわけだ。

十字軍は、教皇をトップとした教会支配を揺るがす二大潮流、ルネサンスと宗教改革を生み出した。教会による圧倒的支配が生み出した十字軍が、教会支配を破壊するきっかけになったとは、ずいぶん皮肉な話ではある。

ルネサンスの哲学・思想

ボッカッチョ

世界史を変えたエロ本

私が習った中学校の歴史の教科書には、ボッカッチョ（1313〜1375年）の『デカメロン』という本が紹介されていた。どちらもカボチャでメロンな響きのユニークな名前だったから、すぐ覚えてしまった。それでも、教科書に載《の》るくらいだからさぞかし重要な本なのだろう。

中学の歴史の教科書に載る本はみんな読破してやろう、と、大学生になってから読むことにした。本屋で『デカメロン』の文庫本を手に取ったところ、表紙を見てギョッとしてしまい、いったん本棚に戻してしまった。表紙には、女性の太もも！　下着姿！　まるでエロ本！　まだ多感なお年頃の私は、レジ係が男性になるのを見計らってから並んだ。なのに直前でレジ係が女性に交代したことは今でも忘れられない。

なんで歴史に残る本が女性の下着姿？　と戸《と》惑《まど》いながら読み始めると、さらに驚いた。

エロい。とにかくエロい。こんなにエロい古典を私はそれまで読んだことがなかった。「まるでエロ本」と右で書いたが、内容もエロ本以外の何物でもなかった。

なぜエロ本が中学の教科書に？　それは、世界史を変えた「命がけのエロ本」だったからだ。

すでに述べたように、西欧の人々は十字軍で異教徒たちと出会い、彼らも人間であり、しかも尊敬すべき人たちもいて、西欧よりはるかに高度な文明を誇っていることにも気づいた。他方、中世西欧を支配していた僧侶たちは、圧倒的な権力を手にして次第に腐敗していった。教会の地下には、僧侶たちが産ませた赤ちゃんの遺骨が積み重なっていたという。庶民もその実態に気づいてはいたが、僧侶の悪口をいえば地獄に落ちると脅されていたから、僧侶を批判する勇気をもてなかった。しかしボッカッチョの『デカメロン』は、エロ本という形で僧侶の堕落《だらく》ぶりを描き出した。

僧侶の悪口をいえば天罰が下り、死んでしまうかも。そんなリスクがあったのに、

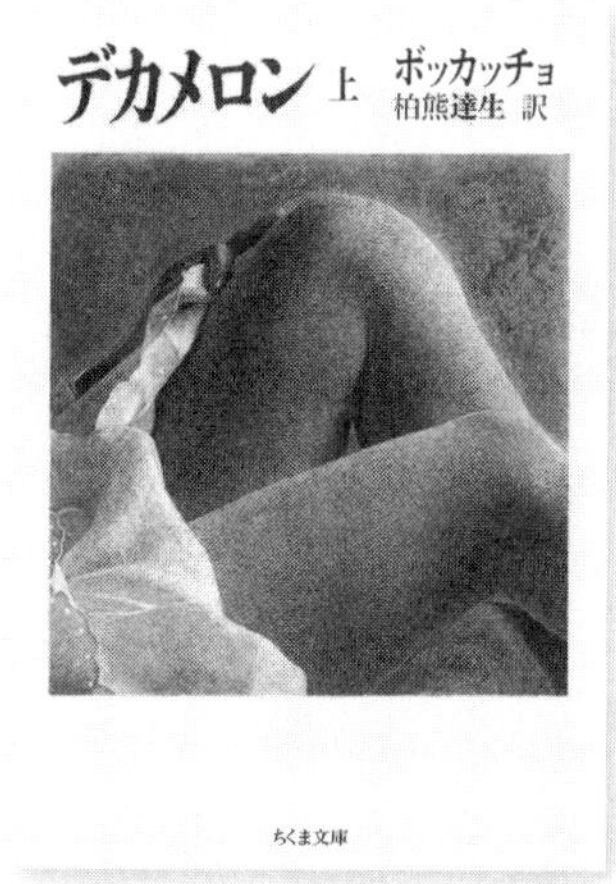

『デカメロン 上』
（ボッカッチョ、柏熊達生訳・ちくま文庫）

ボッカッチョは書いてしまった。案の定、ボッカッチョはたびたび僧侶から悔い改めろ、天罰が下るぞ、と脅されていたらしい。ところがなかなか天罰が下らないまま、意外に平穏に生きた。死ぬ直前に怖くなり、ボッカッチョは悔い改めたそうだけれど、それまで特に天罰が下ることもなかった様子を見て「あ、僧侶の悪口をいっても大丈夫なんだ」と人々に思われたようだ。

ボッカッチョの『デカメロン』は、僧侶やキリスト教の悪口をいっても地獄に落ちる心配はなさそうだ、と考える人を増殖させるきっかけとなった。「僧侶の悪口をいえば地獄に落ちるぞ」という当時の常識を、エロ本が破った。ここから人々は自由に思考し始める。僧侶やキリスト教の教えに遠慮しなくなっていった。そしてルネサンスがどんどん花開いていくこととなった。

ルネサンスの哲学・思想

コペルニクス、ガリレオ、ケプラー

人類を「脇役」に変えた

ルネサンスは、天文学を大きく発展させることにもなった。そして天文学の発達は、教会の僧侶が教えてきた世界観を大きく揺るがすことになった。

中世では「太陽が地球の周りを回る」天動説が信じられていたが、コペルニクス（1473～1543年）は「地球が太陽の周りを回る」地動説を唱えた。ただ、コペルニクスの地動説は精度が悪く、プトレマイオス（83年頃～168年頃）による天動説の方が天体の動きをより正確に予測できたので、地動説はイマイチ普及しなかったようだ。

ところがガリレオ（1564～1642年）やケプラー（1571～1630年）が緻《ち》密《みつ》な天体観測を行い（アリストテレスの「観察」にあたる）、地動説の方が精度よく日食や惑星の動きを予測できるようになると、地動説が有力視されるようになった。

では、天動説から地動説への変化は、人々の意識にどんな影響を与えたのだろうか？

いちばん大きな影響は、「人類は脇役」という認識への変化ではないだろうか。天動説では地球が全宇宙の中心、人類はその世界の主役という位置づけだった。こうした宇宙観なら、人類は神様に愛された特別な存在だと信じることができる。

しかし「地球は太陽の周りを回る惑星の一つでしかない」となると、地球は宇宙の中心でもなんでもなくなる。そして、庶民を支配する王様や教会の僧侶も庶民と一緒に、太陽の周りを回らされている「同じ脇役」にすぎないことになる（図4）。

天動説は、支配者には都合のよい宇宙観だった。人類はこの宇宙の主役だし、その主役の頂点に立つのは教会の僧侶であり、教会を支配するのは神。そうした階層構造で宇宙を理解できた。

しかし地動説では、庶民も王様も僧侶もみんな太陽の周りを回らされる脇役になってしまう。こうした宇宙観、世界観は、キリスト教の支配を揺るがす大きな要因になったように思われる。

アニメ『ドラえもん』の昔のエンディングソングに『ぼくたち地球人』という曲がある。宇宙から見れば、たまたま地球という星に、たまたま人類という生物種が生きているだけ、ということになる。人種の違いも、支配者か庶民かなどの区別もすべて細かいことで、ざっくり「地球人」とまとめてしまえる。天動説から地動説への転換は、王様や僧侶が支配する君主国家の世界観から、庶民自身が国を運営する民主主義の考え方へとシフトするのに、大きな助けになったように思う。

古代中国に、次のような有名な言葉がある。

「王侯将相《おうこうしょうしょう》いずくんぞ種《しゅ》あらんや」

王様や貴族、将軍、大臣など偉いとされる人間も、我々庶民と何の違いがあるだろう、

図4　天動説と地動説

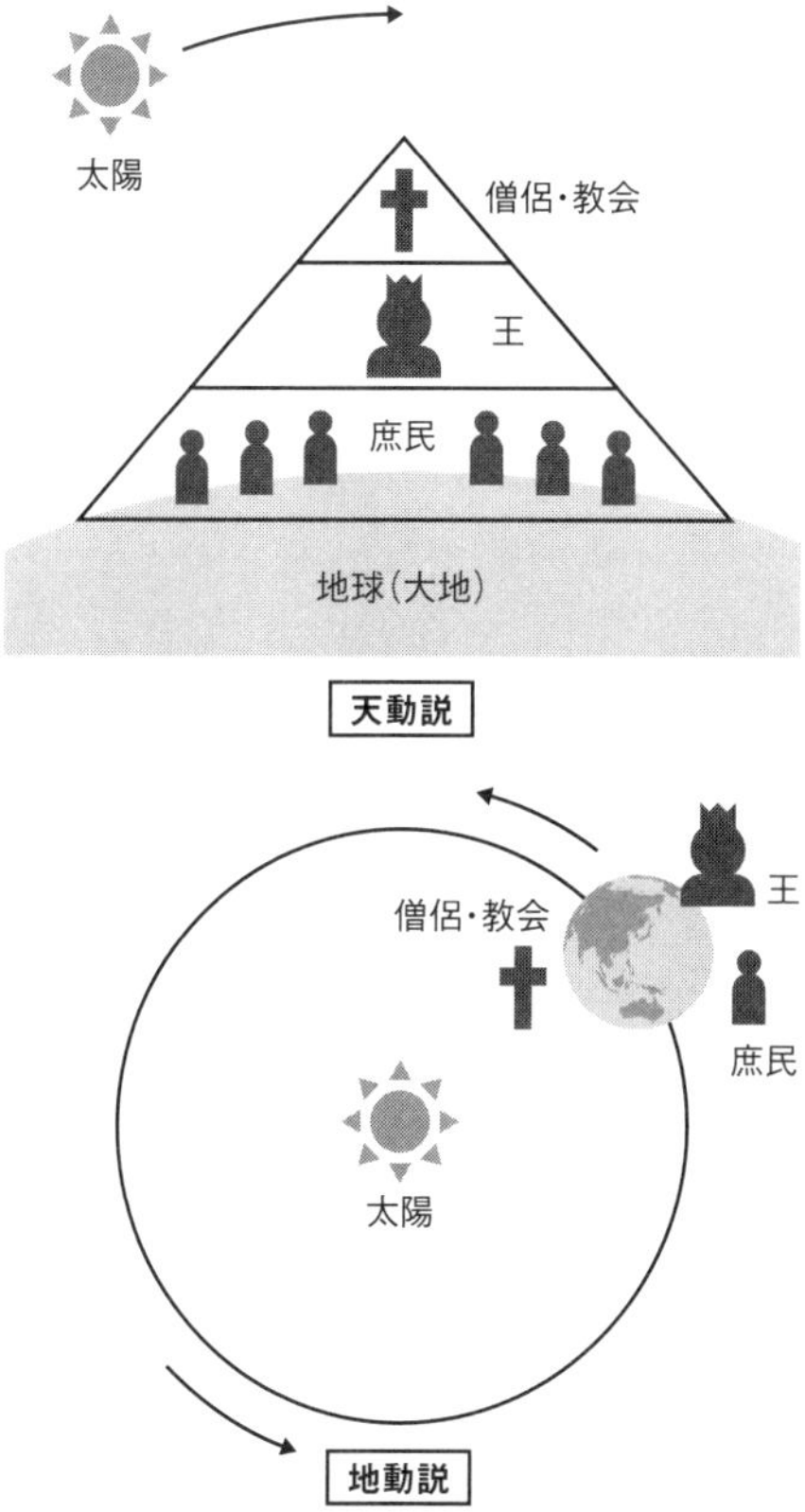

という叫び。これは陳勝《ちんしょう》（？～紀元前208年）という人物が、自分の反乱を正当化するために実力主義を宣言した言葉で、地動説とかとは全然関係ない。ただ、地動説は「同じ地球の上に住んでいる、同じ人間じゃないか」という、陳勝の叫びと共通するものがあるように思われる。

地動説は単に天文学の発展というだけでなく、人類がこの世界で、宇宙の中でどう位置づけられているのか、その自意識を大きく変えたという点で、影響は巨大だったとみてよいだろう。

当時の教会がガリレオに地動説の撤回を迫ったのも、そうした危機感が教会にあったからだろう。しかしもはや、支配者も僧侶もこの世の脇役にすぎない、という世界観、宇宙観は、広がっていく一方になった。

コペルニクス、ガリレオ、ケプラーらが確立した地動説は、王様や僧侶が支配する社会を当然視する「常識」に大きなヒビを入れた。そうみなすことができるだろう。

ルネサンスの哲学・思想

モンテーニュ

「常識破り」のお見本

これまた個人的な話をして恐縮だが、モンテーニュ（1533〜1592年）の『随想録（エセー）』は私の人生を変えた本だ。高校に入学した頃に読み始めたのだけど、「読み進むごとに（私の）性格が変わるから迷惑した」と弟から文句を言われたほど、影響を受けた。

モンテーニュは歴史の教科書だと「懐疑主義《かいぎ》」として紹介される。そんな紹介だと、さぞかし疑り深い人なのだろう、と思われてしまうが、私の印象では、ちっとも疑り深いところは感じない。ただ、発想がどえらく自由な人だな、とは思う。

モンテーニュの時代の貴族は、肉を食べることがステータスだった。そして、野菜を食べなかった。そのため、尿結石《にょうけっせき》で苦しむ貴族が多かった。尿結石になるとこの世の終わりのように嘆き悲しむ貴族が多かったらしい。モンテーニュはその様子をみっともないと考えていたが、自分も尿結石になってしまった。なんとかその苦しみを克服し、かっこよく生きたい。そこでモンテーニュは「死」を考えることにした。死ぬ恐怖と比べたら、痛みを乗り越えられるんじゃないか、と考えたわけだ。

モンテーニュは、死を恐れなかった哲人たちを調べ上げた。

ソクラテスは死刑判決後、毒人参《にんじん》の汁を飲み干し、毒が全身に行き渡るよう歩き回り、友人や弟子たちの見守る中で静かに息を引き取った。

小《しょう》カトー（紀元前95年～紀元前46年）は子どもの頃、怒った大人に窓の外にぶら下げられ、「謝れ、このまま落として殺すぞ」と脅された。ところが小カトーは黙って大人をにらみ続けるだけ。大人は根負けして、家の中に戻さざるを得なくなった。

セネカ（紀元前1年頃～65年）は悪帝として有名なネロ（37～68年）から死を命ぜられ、兵たちに取り囲まれる中、自ら手首を切り、風呂の中で血が固まらないようにしながら、息を引き取った。

このように、死を静かに受け入れた哲人たちの話を並べて、自分も死を恐れず、苦痛をものともしない人間になりたいと考えた。ところが……。

モンテーニュは若い頃、旅に出た。当時のヨーロッパはペストという恐ろしい病気が流行していた。貴族がこれにかかると「もう私はおしまいだ」と絶望し、ジタバタしながら死んでいくのをモンテーニュは見ていた。

旅の途中、ペストにかかった農夫がいた。しかし彼は普段通り畑に出て耕し続け、いよいよ身体が動かなくなると身を横たえ、静かに死んでいった。まるでソクラテスやセネカのように、静かに死を受け入れて。

モンテーニュはこのことに衝撃を受けた。貴族は無学な農夫と違って、哲学や思想を勉強し、教養のある人間のはずではないか。なのに無学な農夫の方が生と死を深く理解し、死病にかかっても日常と変わらず過ごし、死期が来たら静かに死を受け入れる。哲人と全く同じふるまいができるなんて！

で、モンテーニュは、死について考えるのをやめてしまう。私は「えええ!!」と驚いた。大どんでん返しにもほどがある。どんな困難にも打ち勝てるよう、最も受け入れがたい死を直視する、そのために英雄から学ぶ、なるほどなあ、かっこいいなあ、と、感心していたのに、「死について考えるの、やーめた」だなんて！『随想録』は終始こんな感じで、何度うっちゃられたか知れやしない。

モンテーニュの『随想録』は、「常識破り」の話が満載だ。異国の王に西欧人が面会すると、王様が手で鼻水をかんだ。西欧人は「汚い」といって嫌そうな顔。王様が「お前たちはどうやって鼻をかむのだ」と訊《き》くと、西欧人は「私たちは優雅に絹のハンカチで鼻をかみます」と答えた。王様は「鼻水ごときに高級な絹のハンカチを使うお前たちの方がどうかしている」と答えたという。

大航海時代に西欧人が出会ったある種族は、人が死ぬとその肉を食べる風習があった。西欧人が「なんて野蛮な」と批判すると、現地人が「お前たちはどう弔《とむら》うのだ」と尋ねた。西欧人は「棺桶《かんおけ》に入れて、土の中に丁重に埋葬する」と答えた。すると現地人は「ウジ虫に大切な人の肉を食べさせるお前たちの方がどうかしてる」と答えた。

この二つのエピソードは、西欧人が正しい、美しいと信じきっていた正義が、「前提」を少し変えただけでひっくり返されることを示している。モンテーニュは、みなが正しい、真実だと信じ込んでいる事柄でも、少し前提を変えればガラリと様子が変わってしまうことを、これでもか、これでもか、と多数の例をもって示してくれる。

モンテーニュは、特定の思想にしがみつくことの愚かさに早くに気づいていた人物なのだろう。そういう意味では、ソクラテスの純粋な弟子の一人のように思われる。

モンテーニュの『随想録』は、後のデカルトやルソー、ニーチェといった哲人たちに大きな影響を与えたといわれている。これらの人物は、それぞれに時代の「常識」を打ち破った人たちだ。『随想録』は、そうした「常識破り」の方法を学ぶうえで、非常によいテキストなのかもしれない。

ルネサンスの哲学・思想

デカルト

疑う人ほど信じ込む、厄介な人たちの増殖

ルネ・デカルト（1596～1650年）は、現代社会を生み出すことになった、最も過激な常識破りの人物かもしれない。西欧人には今も敬虔《けいけん》なキリスト教徒が多いが、デカルト以前にはまず存在できなかった人が、デカルト以後では現れるようになった。その名は、無神論者。

ディドロ（1713～1784年）なんかは典型的。彼以前にも無神論者はいたが、火あぶりで殺されてしまった。しかしディドロは殺されずに済んだ。デカルトによって、物事はリクツ通りに動くと考える見方（近代合理主義）が社会全体に浸透し、無神論者が公然と認められるようになったからだ。

もしデカルトが現れていなければ、ディドロも無事ではいられなかっただろう。現代では、信仰をもつ人でも「この世界は合理的に動いている」と考えるようになっている。こ

のような合理的世界観を世界中の人々に植えつけたのが、デカルトだった。

デカルトの生きた時代は宗教改革の真っただ中だった。旧教の人たちが新教の人たちを大量虐殺《ぎゃくさつ》した聖バーソロミューの虐殺（1572年）という大事件も起きた。同じキリスト教徒同士が、互いに自分を正しい、相手が間違っていると主張し、殺し合っていた。中世はキリスト教だけが人々の心のよりどころだったのに、そのキリスト教が分裂してしまった。どちらを信じたらよいのかわからない、そもそも何が正しいのかわからない。そんな時代にデカルトは生きていた。

デカルトはそんな混迷の時代でも、真実を見抜く方法はないかと考え抜いた。やがてそのアイディアを知人に漏《も》らすと、それに感動した友人たちは、本にするように勧めた。さあ、最初の本を出版しようかという矢先、ガリレオが宗教裁判にかけられた（今後は地動説を正しいといいません、と約束させられた）のを聞いて、その本を焼き捨てたという。デカルトは、自分の本がキリスト教を破壊する力をもつことを自覚していたのかもしれない。

しかし友人たちはなおも強く出版を進めたため、デカルトは自分の考えを非常に簡潔《かんけつ》にまとめた本『方法序説』を出版した。この本が、やがて世界史を変えることとなった。『方法序説』の内容は、二つの原理にまとめることができると私は考えている。

1. すべての既成概念を疑うか、ないしは否定せよ。
2. 確かと思われる事柄から思想を再構築せよ。

デカルトは、自分が見ているもの、手で触れているものを現実と考えてしまいがちだが、夢も同じように感じるのだから、ただの錯覚《さっかく》かもしれない、として否定する。信じていたものを次々に疑い尽くし、否定し尽くした果てにどうしても否定できないのが、疑おうとする自分、否定しようとする自分の存在。それが教科書でも習う有名な言葉「我思う故《ゆえ》に我あり」（コギト・エルゴ・スム）だ。

しかし私は「我思う故に我あり」を、そこまで重大視しなくてもよいかな、と思う。それよりも後世の人々にとって厄介なのは、「すべてを疑い、否定せよ」という非常に乱暴で過激な手法を勧めている点だ。

私たちは子どもの頃から、いろんなことを素朴《そぼく》に信じて生きている。自分の家族は確かに存在するし、自分を愛してもくれている。友人も存在し、自分に好意をもってくれている。目の前の食事には毒は入っていないし、自動車は左側通行を守ってくれるし、通行人がいきなり刃物で刺してくることはまずない。こうした素朴な信頼のもとに、私たちは生きている。

もし「今日は逆走する自動車ばかりかもしれない」と思ったら、恐《こわ》くて道路を歩けなくなる。親しい友人が私を殺そうとしていると思ったら人と会えなくなる。素朴な信頼を失うことは、私たちを恐怖と絶望に陥《おとしい》れる。

デカルトの第一原理「すべてを疑い、否定せよ」はそれに近いことを実行しろと命ずる。素朴に信じていたものをすべていったん疑い、否定せよと説く。これは実につらい作業となる。しかしデカルト以後の思想家たちは、デカルトの勧めに従った。この作業は非常につらい半面、実に魅力的でもあったからだ。絶対間違いのない思想を創《つく》れるかも！という希望だ。

デカルト以前に信じられていたのはキリスト教。しかしそのキリスト教も、旧教徒と新教徒に分かれ、どちらが正しいのかわからなくなってしまった。どうやったら正しさを見抜くことができるのか？

自分たちが素朴に信じていたキリスト教への疑問、何が正しくて何が間違っているのかわからないという不安。当時の人は、確かな思想の構築法はないのか？と、その方法を渇望《かつぼう》していた。

そんなときにデカルトの『方法序説』は現れた。デカルトはその本で次のように説《と》く。一人の人間が根底からデザインし直した都市は美しい、と。複数の人間がてんでバラバラにデザインした街は、統一感がなくて美しくない。けれど、一人の優れたデザイナーが古いものを一掃し、統一的にデザインし直せば、美しく合理的な都市を創造できる、と主張した。『方法序説』の説くこの言葉は、当時の知識人たちにとても魅力的に映った。「そうか！　すべての既成概念を、ブルドーザーで根こそぎにするように疑い、否定し尽くして、そこから正しそうな事柄から思想を再構築し直せば、誤りを一切含まない、完璧《かんぺき》な思想を自分のものにできるじゃないか！」。デカルトの提案を知った後世の哲学者や思想家は、一度はこれを実践するようになっていった。また、デカルトの本を読んだことがない人にもこの考え方は浸透し、疑うことは賢い人間の当然のたしなみ、と信じるようになった。

私は数年前、地下鉄に乗ろうとしたとき、ホームの柱の一つに「新聞を疑え」という広告を見た。その広告主は、なんと新聞社。新聞社自身が新聞を疑え、という矛盾も興味深いが、この広告は、「疑う」ことをかっこいいと信じて疑わない私たちの考え方を、端的《たんてき》に表している。

強すぎる副作用

デカルトのこの「すべてを疑い、否定せよ」を実践する人が増えた結果、神様を恐れる人が減り、そのぶん、合理的に考える人が増えた。神様がいなくてもすべては科学の法則に従って運行する、という考え方を唯物論というけれど、デカルト以後、唯物論的な考え方をする人が増えていった。科学の時代、合理主義の時代に突入するのに、デカルトの「すべてを疑い、否定せよ」という提案は、決定的な役割を果たした。

デカルトのおかげで、私たちは科学の時代、合理主義の時代を生きている。しかし一方で、デカルトの「すべてを疑い、否定せよ」という提案は、副作用が目立つように思われる。その副作用とは、皮肉なことだが、「自分を信じて疑わない人」を大量生産したことだ。

デカルトの「すべてを疑い、否定せよ」を実践するのは、実につらい作業となる。前述したように、自分が幼い頃から素朴に信じていたこと、懐かしく甘い思い出もすべて一度は疑い、否定するという作業を行うことになる。こうしたつらい作業を経験すると、「こんなにつらい作業を本当にやり通した人間って、世界広しといえども自分だけじゃなかろうか。だとしたら、自分は世界で最も賢く、間違っていない完全無欠な人間なのではなかろうか」という妙な自信を生んでしまうらしい。心理学的には「補償」と呼ばれるものになる。こんなにつらい目に遭ったのだから、ちょっとはいい目をみないと割に合わない、という思いが、自分の思想を信じて疑わない心理を生み出してしまうのかもしれない。

フランス革命期に現れたロベスピエールは、自分と意見対立する人間を殺しまくり、恐怖政治をしいた。自分の考えが正しいと信じていたからだろう。レーニンは自分の共産主義が正しいと信じ、意見の対立する人々を殺した。ポル・ポトは、全国民が農民になれば理想の国家になると信じ、それに逆らう人々を虐殺した。

果たしてこれらの人々がデカルトの『方法序説』を読んだかどうかはわからない。しかしデカルト以降の知識人で、デカルトの提案「すべてを疑い、否定せよ」を実践した人は非常に多い。そして自分はすべてを疑り深く検証し、その果てに自分の思想を再構築したのだから、絶対正しいに決まっている、と信じ込んでしまった人が、近代合理主義の時代にはたくさん現れた。そうした考え方は、次第に一般の人々にも浸透していった。

スペインの哲学者ホセ・オルテガ・イ・ガセット（1883〜1955年）は、自分の考えを信じて疑わない人々のことを「大衆」と呼んでいる。自分の方が見識は高いと信じて疑わず、他者を否定してしまう。そんな行動パターンの人物を「大衆」と呼んで批判したわけだ。

私は、デカルトの第一原理（すべてを疑い、否定せよ）を実践すると「疑う故に信じ込む」人を大量生産してしまうように感じている。デカルトの「すべてを疑い、否定せよ」は劇薬だ。劇薬ゆえに、その副作用が強すぎるように思う。

実は、デカルトはプラトンと妙な共通点がある。二人とも、リュクールゴスという人物を紹介していることだ。

リュクールゴスの伝説については、プラトンのところで紹介した。スパルタという国家を根底から作り直し、強国に育て上げたという伝説上の人物だ。

プラトンは、国家をゼロから再構築した実例としてリュクールゴスを紹介した。デカルトは思想をゼロから再構築するモデルとして、リュクールゴスを紹介した。つまり、プラトンもデカルトも、過去を全否定し、すべてを創造し直そうとする点で、同じ着想だったといえる。そしてその着想を与えたのがリュクールゴスという伝説だった。

私は、すべてを疑い尽くした結果、自分の考えを信じて疑わなくなった人を「リュクールゴスの亡霊」と呼んでいる。「リュクールゴスの亡霊」にとりつかれた人は、誤りを指摘しても全く聞こうとしない。自分の思想をアップデートする気が全くない。「だって、自分の思想は完璧《かんぺき》だから。お前の指摘するようなことはすでに検討済みだから」と考え、聞く耳をもたない。デカルトの「すべてを疑い、否定せよ」という提案は、逆説的だが、自分の考えを信じて疑わない人たちを大量生産した罪があるように思う。

しかし私たちは、科学でさえしばしば誤ることがあることを知っている。ロボトミーという技術は、かつて精神病の画期的な治療法としてノーベル賞（生理学・医学）も受賞したが、脳梁《のうりょう》を切断し廃人にする乱暴なこの治療法は、今ではとんでもない過ちだったとされている。

魔法の物質と言われたフロンは、地球のオゾン層を破壊する物質として非難されるようになった。一時は絶対善と思われていたものがのちに悪に変わるという経験を、私たちはたびたび味わってきた。

そう、科学や合理主義であっても間違うときは間違う。誤るときは誤る。それがどうやら当然のことであり、人間は誤りを完全排除することはできないのだ、ということをようやく現代人は認識し始めた。

私が思うに、デカルトの「すべてを疑い、否定せよ」は劇薬すぎるので、もっと穏やかな方法にアップデートした方がよいように思う。私が提案したいのは、「前提を問う」だ。

すべてを疑う必要はない

本庶佑《ほんじょたすく》氏（１９４２年〜）はノーベル賞（生理学・医学）受賞の会見で「教科書を疑え」と発言した。本庶氏によると、教科書には「免疫ではガンを治せない」と書いてあったという。本庶氏は教科書を疑ったからこそ画期的な研究成果を出せたのだ、と説明した。
私は、本庶氏のこの説明、もう少し解像度を上げた方がよいように思う。教科書は、無言のうちに「免疫を強めても」ガンは治せない、という前提を置いていた。本庶氏はこの前提を変えた。免疫を強めるのではなく、「免疫のブレーキ役をはずす」という前提に置き換えた。その結果、これまでとは全く異なる画期的な治療薬（免疫チェックポイント阻害剤）が生まれた。教科書に書いてあることすべてを疑ったわけではなく、教科書が自覚なしに置いていた「前提」を別の「前提」に置き換えたら、新たな発見が可能になったというわけだ。

「前提を問う」だけで、画期的な発見が可能となる。たとえば金属分野では「水素ガスにさらすと金属はもろくなる」というのは、教科書的な常識だった。水素分子はとても小さく、金属に染《し》み込んで構造を破壊してしまうからだ。そこである研究者が「超高濃度・超高圧の水素ガスにさらしたらどのくらいもろくなるのだろう？」と試してみた。すると意外なことに、水素ガスはもはや染み込まなくなり、金属は丈夫になった。

これは、教科書の無言のうちに置いていた前提が「中途半端な濃度と圧力の水素ガスにさらすなら」だったからだろう。この前提を変え、超高濃度・超高圧の水素ガスにしたら、全く異なる結果が出てきたわけだ。

すべてを疑う必要はない。教科書に書いてあることすべてを疑ったら、人類が生み出したあらゆる知識を全部検証し直さなければならなくなる。明日は地面に向かって落ちずに、空を飛んでしまうかもしれない不安に怯《おび》えなければならない。そんなことまで疑っていたら、古い知識を検証するだけで人生が終わってしまう。

しかし「前提を問う」のなら、すべてを疑う必要はない。前提条件を変えないのなら、教科書通りの結果になると信じていいだろう。ただし前提が変われば新たな結果が出てくる可能性がある。新しいものを生み出したいなら、全部を否定するのではなく、それまで試したことのない前提に置き換える。それだけでよい。

これは科学だけでなく、哲学や思想も同じだと考えている。これまでの「前提」でも差し支えがないなら、いちいち疑わない。しかし前提条件を変えざるを得なくなったら、全然別の前提に置き換えてみる。そう考えればよいのではないだろうか。

たとえば現代人はここ数十年、「石油が安いのは当たり前」の世界で生きてきた。その前提が成り立つ間は、自動車を乗り回し、電灯で夜を明るく照らし、空調のきいた部屋でくつろぐことができる。大量に化学肥料を製造し、それで大量の食料を作り、ぜいたくな食事を楽しむこともできる。これらは、「石油が安いのは当たり前」という前提条件がそのままなら、疑う必要はない。

しかし、その前提が崩れ始めている（ウィリアム・R・クラーク『ペトロダラー戦争』）。中東で石油を採掘し始めた頃は噴水のように石油が噴き出したため、採掘のために1のエネルギーを消費したら、その200倍のエネルギーの石油が採れた。しかしシェールオイルと呼ばれる新技術だと、10倍を切る石油しか採れない。採掘に要したエネルギーの3倍以上の石油が採れないと、エネルギー的に赤字になるという（ガソリンなどに加工したり、輸送したりするのにエネルギーが余分に必要なため）。この「3倍」というデッドラインに向かって、石油の採掘効率はどんどん悪化しており、石油を安価なエネルギーとして使える時代はいよいよ終焉《しゅうえん》を迎えつつある。

石油をいくらでも浪費できるという「前提」が崩れ、新しい「前提」に立った社会を構築する必要が出ている。「石油が安い」という前提は私たちの生活の隅々に行き渡っているが、今後は「石油を使いたくても使えない」という新たな前提で社会を構築する必要がある。

このように前提が変わるだけで私たちの思考はかなりのアップデートが求められる。しかしデカルトの「すべてを疑い、否定せよ」をいつまでも続けると、「そもそも石油が採れないって本当？」「石油はなくなるどころか、微生物がどんどん作ってくれてるらしいよ？」と、妥当《だとう》とはいいにくい説を「信じ込む」人を増産する、副作用の方が目立ってしまう。

デカルトの提案した「すべてを疑い、否定せよ」は、今や、「自分に都合の悪い理論の揚《あ》げ足をとり、自分に都合のよい理論を信じ込む」ための道具になり果てかけているように思う。デカルトが合理主義の時代を切り開いたという功績は疑いようもない事実。しかしそろそろ、デカルトの提案はアップデートが必要だ。

デカルトの提案は「絶対に正しい真理」を手に入れる「前提」だったが、現代に生きる私たちは、その前提に無理があると気づき始めている。それよりは、現実に近似する仮説を立てては絶えずアップデートする、というアプローチの方がマシ。そちらの「前提」に切り替わったのだ、という自覚が必要なように思う。

ニュートン

宇宙は法則で支配されている

アイザック・ニュートン（1642〜1727年）の、リンゴが落ちるのを見て万有引力の法則を発見した、というエピソードは、本当かどうかは別として、非常に有名な話だ。

ニュートン以前に、ティコ・ブラーエとケプラーという天文学者が惑星の運動について膨大《ぼうだい》な記録を残してくれていた。ニュートンは、そのデータをもとに万有引力の法則を発見した。ニュートンは微分積分の発明などほかにも多数の功績を残しているけれども、特に世界史に絶大な影響を与えたのは、やはり万有引力の法則の発見だろう。

この世に存在するすべての物体は万有引力の法則に従う。宇宙に存在する万物は、この法則から逃れることはできない。この法則が見出されてからは、世界の見え方がガラリと変わってしまった。この考え方でいくと、神様には出番がなくなってしまう。神様が下手にこの世界に手を出すと、万有引力の法則が破れてしまうからだ。

ニュートンよりも少し前の人物、スピノザ（1632〜1677年）はデカルト哲学の影響を受けて、神様の出番がない世界観（この世のすべての現れが神様そのものだ、という考え）を構築したけれど、彼はそのことで無神論者だと批判された。

ニュートンの発見した万有引力の法則はスピノザに近い世界観を示すことになったけれど、ケプラーらによる膨大な観測データをもとにしていたので、疑う余地がなかった。神様が気まぐれを起こして法則はずれの現象を起こす心配はまずなく、法則通りに宇宙は運行する、そう人々は考えるようになった。

神様が世界を支配し、操るという中世の世界観から、法則通りにしか万物は運行しないという、神様の出番がない世界観に。ニュートン力学の登場は、「この世界の運行に、神様の出番は必要ない」という理解を広げることになった。もちろん、西欧の人々のほとんどは変わらずキリスト教の信仰をもち続けた。美しい法則を創造したのは神様だ、と考えた。けれど、中世の時代に信じられていた、神様が気まぐれに宇宙の法則を変えるようなことはなさそうだ、という理解へと変わったことは大きい。

ニュートンの万有引力は、「神様の出番のない」宇宙観を生み出した。宇宙を創始したのは神様かもしれないけれど、一度動き出したシステムは、もはや神様がいじらなくても勝手に運行してしまう。そんな世界観、宇宙観が、新たな「常識」として根づいていった。

近代の哲学・思想

ルソー

民主主義を生み出した天才

ルソー（1712〜1778年）は、実に奇妙な人物だ。『学問芸術論』『人間不平等起原論』『社会契約論』『エミール』など、多岐《たき》にわたる分野の著作があり、しかもそれぞれが後世に多大な影響を与えた。けれど、ルソーはどうやってそれらの着想を得たのだろう？　これまでの哲学者・思想家は、自分の置かれた時代や状況を前提にして、新たな常識を生み出してきた。けれど、ルソーにはそうした「文脈」がイマイチ見えない。非常に奇妙。その意味で、ルソーは天才と呼ぶにふさわしい人物かもしれない。

ルソーは、「人間はそもそも、文明を知る前は素朴で愛すべき存在だった」と考えたらしい。文明が発達すればするほど人間は堕落し、不平等が拡大していき、戦争が絶えなくなった、と考えた。こうしたルソーの着想は、もしかするとモンテーニュから得たのかもしれない。モンテーニュは、ヨーロッパの文化に一切触れていない「未開人」の方が、西洋人よりも素朴で素晴らしい生き方をしていると評価していた。ルソーは、そこから着想を得た可能性がある。

しかし今や、人類は文明文化を切り開いてしまった。素朴な人間ではもはやいられない。そこで「契約」を結び、なんとかみんなを束ねる社会を創らなければならない。そんな発想から生まれたのが『社会契約論』だった。

しかしこの本も奇妙だ。当時の西欧は、王様が絶対的な権力を握る絶対王政の時代。なのにルソーは、一人一人の国民の意志が統合されて国家の方針になる、という、民主主義の体制を構想した。なんでこんな構想ができたのだろう？

着想の源泉は、どうやら古代ギリシャだ。古代ギリシャには、民主的に運営されていたアテネが繁栄していた。古代ギリシャの次に繁栄した古代ローマもかなり長い間、民主的に（共和制）運営されていた。こうした事例を『プルターク英雄伝』という歴史書から知ったのだろう（ルソーの愛読書だった）。が、それにしても、同時代人でルソーのような発想ができた人がいなかったことを考えると、かなり奇異《きい》に感じる。

ルソーの『社会契約論』は、のちのフランス革命に大きな影響を与えた。フランス革命は王政を完全否定し、民主主義の国を創るという、非常に野心的な試みとなった。もし『社会契約論』が出ていなければ、フランス革命の姿はずっと違ったものになっただろう。

現代の私たちも、民主主義の社会で生きていられたか、疑わしい。その意味でルソーのこの本は、絶対王政という当時の常識を打ち破り、民主主義という新常識を打ち立てるのに決定的な役割を果たすことになった。

学ぶ力を生かす教育

ルソーはさらに、教育学も創始している。『エミール』という名の架空《かくう》の子どもを育てるとしたら、どんな教育法が理想的か、ということをシミュレートした本だ。これもなぜ発想できたのか不思議だ。当時の西欧ではキリスト教の影響が大きく、人間は生まれながら罪深く、償いながら生きなければならないとされていた。そして子どもは罪の自覚がないぶんより罪深く、ムチで叩いて罪を思い知らさねばならない、と信じられていた。その証拠に、ルソー以前の絵画だと、子どもは「小さな大人」として描かれることが多く、子ども独特の愛らしさは感じ取れないものが多い。

そんな伝統の中でルソーは「子どもの発見」をした。子どもは大人とは全く違う存在であり、大人とは異なる接し方、指導をする必要がある、と説いた。『エミール』は、ムチで打って強制すればよいと考えていたそれまでの教育の常識を覆した、画期的な書物だった。
それにしても奇妙なのは、なぜルソーがこれを思いついたのか、だ。実はルソーは、５人の我が子を全員、孤児院の前に捨てている。貴族の家庭教師をした経験があるとはいえ、自らの子育てを放棄してきた人物がなぜ教育学を創始するアイディアを生み出せたのか。非常に奇妙なことだ。

一つヒントがあるとすれば、やはりモンテーニュだろう。モンテーニュは自分がどう育てられたかを『随想録』で紹介している。決して無理強いされず、楽しんで学習に取り組めるように親が配慮してくれたのだという。その内容は、ルソーの『エミール』の内容に通じている。当時、西欧では一般的だった、ムチで厳しく育てるのとはかなり違った教育法だ。ルソーは、モンテーニュから新しい教育法のアイディアをもらった可能性がある。

ルソーの教育論は、昨今の日本でも注目されているモンテッソーリ教育にも通じている。マリア・モンテッソーリ（１８７０〜１９５２年）は、幼児には何かに集中して取り組む時期があり、その集中を邪魔してはいけない、集中のさなかに膨大な学びをしているのだから、と考えた。この考え方は、ルソーの教育論と相通ずる内容だ。

また、ルソーの教育論は、学校教育の新しい流れも生み出している。デューイ（１８５９〜１９５２年）の教育論は、いわば『エミール』の集団教育版だ。学校はそれまで「大人の知っている知識を子どもに注ぎ込む場所」でしかなかったのを、デューイは「子どもが本来もっている力で自ら問題解決の道を探り、成長するのを見守る空間」に変えようとした。最近日本でも語られるようになった、アクティブ・ラーニングにも通じる。デューイの思想は、フィンランドなどの教育システムにも大きく影響している。大人が教えなくても、子どもは学ぶ力を備えている。そんな信頼は、ルソーから引きついだ発想だといえる。

少し脱線になるが、渡辺京二《きょうじ》（1930〜2022年）の『逝《い》きし世の面影』には、幕末・明治初期の日本の子育ての様子が、西洋人の視点で紹介されている。子どもをとてもかわいがり、ムチで指導するような乱暴なことをしないのに立派に育つ様子を見て、西洋人たちが驚いている例を多数紹介している。

当時の西洋人にとって、ルソーの教育論は流行し始めたばかりの新しい理論で、まだまだムチで叩いて育てるのが常識だった。厳しく育てなければ子どもは育たないと思われていた。なのに日本では、子どもを非常にいつくしみ、愛情深く育て、叱ることもめったにないのに子どもたちは行儀よく、そして大人たちを尊敬し、やがて立派な大人へと成人していくことに驚いた。ルソーが提案した最新の教育法を、日本の人々がごく自然に実践していたことに驚嘆の声を上げていたわけだ。

こうした日本の見聞が欧米に伝えられたことが、ルソーの教育論を補強する一助になったのかもしれない。西洋人はやがて子育ての仕方を大きく変え、子どもをいつくしみ、子ども自身の成長する力を信じる教育法へと変化していった。

他方、日本は逆に、ムチで子どもを育てるやり方を西欧から輸入し、ルソー流の教育法を自らかなぐり捨ててしまった面がある。いまだに日本では、子どもは殴って育てるものだ、という、日露戦争あたりから普及した「信念」が消えていない。

これは日本が、子育ての方法を言語化できていなかったことが原因かもしれない。無意識に子どもを育てていたために、自分たちの子育ての仕方が理想的であることに、かえって自覚がもてなかったのだろう。

ルソーは『社会契約論』によって、君主制というそれまでの常識を覆し、民主主義という新たな常識を生み出した。また、『エミール』によって、ムチで叩く教育から、子ども自身の学ぶ力を最大限生かす教育へとシフトさせた。

この二つだけでも、非常に大きな変革が起きたことがわかる。ルソーというのは、かなり突然変異的な天才だったのかもしれない。

近代の哲学・思想

カント、ヘーゲル

「理性教」を完成させた人々

デカルトの哲学は、西欧の人々の考え方を大きく変えてしまったように思う。それまでは教会の僧侶の言うことに従っていればよかった。しかしデカルトがすべてを疑い、自分の理性的な判断を信じて思想を再構築せよと提案してからは、徐々に「理性的」に生きようとする人が増えてきた。

しかし他方、人間の理性はどこまでアテになるのか？　という疑問がついて回った。確かに私たち人間は多くの過ちを繰り返す。ロック（1632〜1704年）やヒューム（1711〜1776年）などイギリスの思想家たちは、人間なんて経験にかなり左右されると考えていた。デカルト以降、神様に頼らずに理性の力で生きていこうという人々が増えてきたが、肝腎《かんじん》の理性とはどこまで信頼がおけるものなのか、はっきりしていなかった。

そんな中、カント（1724～1804年）やヘーゲル（1770～1831年）は、理性の力と限界を見極めようとした。人間は世界をどう認識するのか、どんな過ちをしがちなのか、そうしたことを徹底して分析した。

カントやヘーゲルは、理性の限界を明らかにすることで、かえって理性への信頼を高めたように思う。近現代に入ると、理知的な人、理性的な人、という言葉は最大級のほめ言葉となっていく。それはカントやヘーゲルの影響が大きいように思う。理性の限界を認めつつも、理性を徹底して使いこなす。それが近現代のロールモデルになった。

カントやヘーゲルの思考は実に緻密《ちみつ》だ。カントは若い頃に天文学を研究していたからか、哲学をニュートン力学のように厳密なものにしたいと企んでいたのかもしれない。ニュートン力学が天体の運行すべてを説明する理論であるならば、カントは人間の精神世界の法則を明らかにしたい、と考えたのかもしれない。

カントやヘーゲルは、デカルト以降の、理性的に生きようとする人々のための思想を体系化した。いわば、「理性教」の体系化に成功した人たち、といえる。「常識破り」をしたというよりは、デカルトの創った新常識を完成させた人たち、といった方がよい。

カントは几帳面な性格で、毎日正確に決まった時間に同じコースを散歩するので、近所の住人の時計代わりになったといわれている。こういうエピソードを聞くと、カントのことを「ザ・理性」とでも呼びたくなる。

けれど、人は理性的、客観的にばかり生きていくことはできない。その問題は、やがて明らかになっていく。

イギリスの哲学・思想

観察と実験、経験を重んじる

　カントやヘーゲルなどの「大陸側」に住む人たちには、どうもリクツっぽい（思弁的、観念論的）人が多かったが、イギリスという島国に住む思想家はどちらかというと変にリクツに走るのを敬遠していたようだ。やってみなきゃわからないじゃないか、観察してみなきゃわからないじゃないか、実験してみなきゃわからないじゃないか、人間の考えることなんてたかが知れているさ、と考える文化的伝統があったらしい。

まだルネサンスも始まっていない中世に、ロジャー・ベーコン（１２１４～１２９４年）という人が現れた。この人物は観察や実験を重視するように訴え、近代科学の先駆者ともいわれている。

　もう一人のベーコン（おいしそう？）、フランシス・ベーコン（１５６１～１６２６年）は、デカルトと同時代人で、やはり観察や実験を重視するように訴えた。リクツの上にリクツを重ねるより、まずは試してみよう、という考え方（イギリス経験論）。デカルト以降の大陸の人たち（大陸合理論）とは一線を画す考え方だった（図5）。

イギリスのこうした観察と実験を重視する姿勢が、やがて蒸気機関などを生み、産業革命を起こす原動力になったのかもしれない。

図5　イギリス経験論と大陸合理論の地域

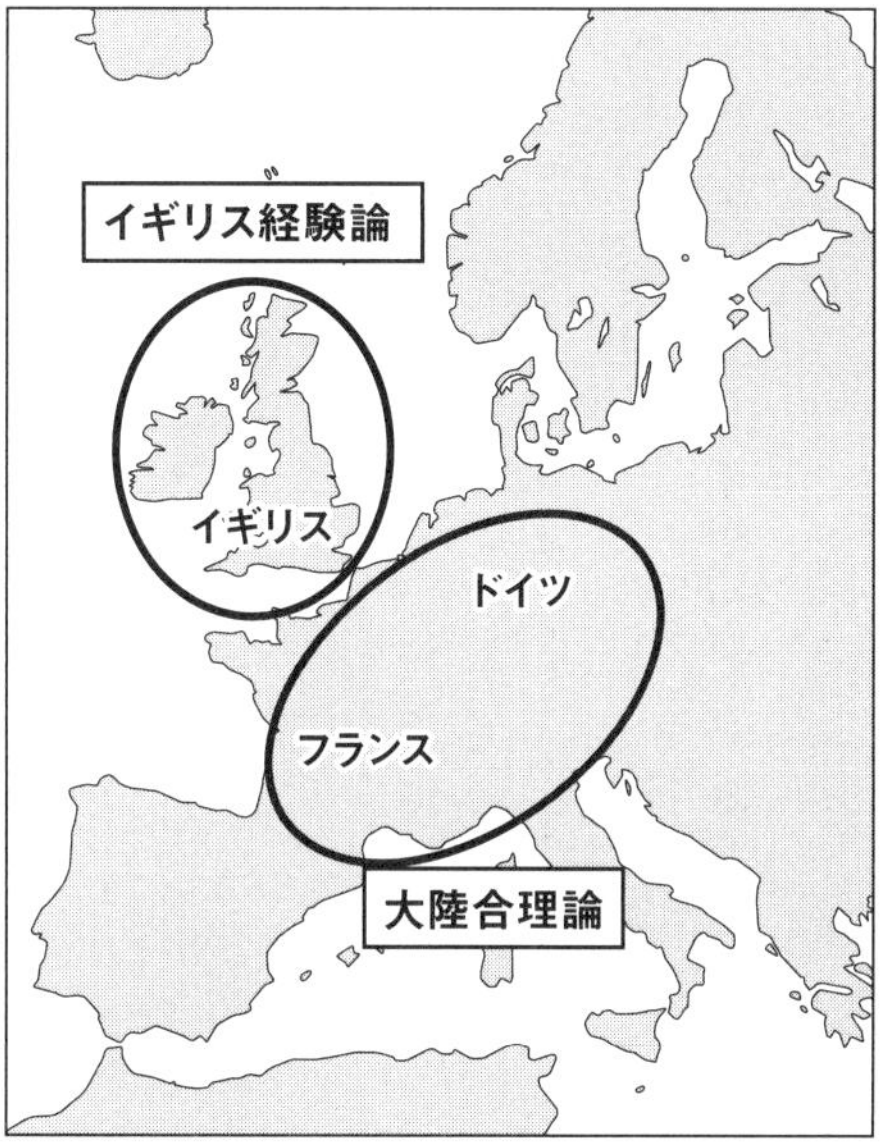

アダム・スミス

経済学の誕生

アダム・スミス（1723～1790年）は「経済学の父」と呼ばれている。スミス以降に生まれた経済学者で、スミスの影響を受けていない人はいないだろう。

『諸国民の富』という本を読むと、非常にたくさんの取材を重ねたことがわかる。テレビも新聞もインターネットもない時代に、よくもまあこんなにたくさんの事例を集め、分析したものだと感心する。

経済学をかじったことがある人なら、「アダム・スミスといえば『神の手』（見えざる手）でしょ？」と答えてくれるかもしれない。スミスは、政府があれこれ口出しするのはよくない、市場に任せた方がうまくいく、と述べた。その調整機能を神の手（実際には「見えざる手」と表現）と呼んだわけだ。

スミスの生きた時代は、国がやたらと商売に口を出す、重商主義といわれる時代だった。国はルールを作れる立場を利用して、すぐに規制をかけたりする。しかしそれによってかえって混乱を招くことが多かった。スミスは政府のあまりの口出しを抑えるため、「見えざる手」に任せた方がよい、と提案したようだ。

スミスの考え方は、子育てに近いように思う。子どもにあれこれ口やかましく注意したり叱ったりするとかえって反発を招き、うまくいかない。危険なこと、人を傷つけるようなことは厳しく叱責するけれど、それ以外はなるべく自分で考えさせることが子育てでは重要だ。スミスの「見えざる手」はそれに似て、政府の過剰な口出しを戒めたものだったのだろう。

ただし、口出しを抑えるとはいえ、子どもに全く関わろうとしないネグレクト（無視）では、子どもの心の成長をゆがめてしまう。それは経済でも同様だ。スミス自身は、当時の政府からの過剰な口出しを戒《いまし》めたものの、ルール無用のデスマッチを勧めたわけではない。

しかし、のちに現れた自由主義（第二次世界大戦以前）、あるいは新自由主義（第二次世界大戦以後、イギリスのサッチャー首相やアメリカのレーガン大統領が推進）と呼ばれる経済学派は、「政府は口出ししちゃいけない」というスミスの指摘を拡大解釈した。政府の口出しを過度に抑えた結果、貧富の格差がひどくなった。お金持ちに有利な政策誘導が行われたのに、それを規制することさえ禁じてしまったからだ。

ところで、新自由主義の人たちがものすごく嫌うのが共産主義だ。その共産主義を唱えたのが、マルクスだ。ならばきっとマルクスは、スミスのことを批判しまくっているに違いない、と私は考えていた。ところがマルクスは「資本論」という本の中で、スミスの本をよく引用している。しかも敬意を込めて。

共産主義を生み出したマルクス経済学にとっても、スミスの経済学は重要な基盤となっている。新自由主義から共産主義まで、様々な経済学を生み出す大基盤を作り上げた人、それがスミスだ。では、スミスは本当のところ、政府の規制をどこまで嫌っていたのだろうか?

産業革命による貧富の格差

中国の古典『老子』に、「大きな国を治めるには、小魚を煮るようにした方がよい」(大国を治むるは小鮮《しょうせん》を烹《に》るがごとくす)という言葉がある。小魚を煮ているときにあまりいじりすぎると身が崩れてしまうから、あまりつつかないのが肝腎なように、大きな国を運営する場合も、細かく口を出さず、じっと見守る姿勢が大切だよ、ということを教える言葉だ。

スミスの言いたかったことも、まさにこれと同じだろう。当時、重商主義だった西欧の国々は、やたら口出ししたり規制を追加したりして、かえって物事をややこしくしていた。スミスは豊富な事例を紹介し、「小魚を煮るように」、あまり口出しし、手出しをせずに見守りましょう、と提案したわけだ。

けれど、完全自由、放置を推奨《すいしょう》したわけではない。小魚は自ら鍋《なべ》に入ってくれないし、火加減を誰も調整してくれない。小魚をあまりつついてはいけないかもしれないけれど、調理に必要な手間を惜しんではいけない。その意味で、スミスは適切な規制を否定しているわけではない。

イギリスは当時、たくさんの植民地を経営していて、国家自体が商売しているようなものだった。それで口出しもついつい多かったのだが、時間が経つにつれ、政府があまり口を出さないようにした方がうまくいく事例が多いことに気づいたイギリス政府は、次第に重商主義を脱し、市場に任せるやり方に変えていった。

ただし、産業革命（18世紀後半以降）が始まると、深刻な状況が生まれてくる。貧富の差の拡大だ。

蒸気機関が発明され、石炭を燃やして湯を沸《わ》かし、その蒸気が膨れたり縮んだりする力で機械を動かすことができるようになった。これにより、機械で糸をつむいだり布を織ったりすることができるようになって、糸や布製品の大量生産が可能になった。

すると、それまで手で糸をつむいだり布を編んだりしていた人たちが価格で太刀打ちできなくなり、職を失った。他方、紡績工場は労働者を低賃金でしか雇わない。みんなが手で糸や布を作っていた時代には飢えずに済んだのに、機械による大量生産が始まると布製品が大量に余り、価格が下落し、手で編んでいた人たちの仕事が失われたうえ、工場で働こうとしても低賃金。貧困に苦しむようになった。その一方、工場の経営者や資本家は大儲《もう》けするようになった。その構造に怒った労働者たちは、機械を壊して回るラッダイト運動（１８１１〜１８１６年）を起こした。

イギリス政府は機械を破壊した者は死刑という法律を作り、実際に死刑を執行したりもした。それでも騒動をなかなか抑えられなかった。

工場を経営するお金持ち（資本家）たちは、スミスの言う「見えざる手」で理論武装し、政府の規制はなるべくない方が経済は活性化するのだ、という自由主義の考え方をとり、貧富の格差を放置しがちだった。

こうした産業革命による貧富の格差は、スミスが亡くなった後の時代に広がった。もしスミスが生きている間に目撃していたら、貧富の格差を放置する自由主義の考え方に賛成したとは、私には考えにくい。何しろスミスは『道徳感情論』という本を書くほどの人で、不条理を許す人ではなかったからだ。

スミスが「見えざる手」を口にしたのは、政府がやたら口出しする時代だったからで、貧富の格差を放置しなさい、と言ったつもりはないだろう。

「政府は余計な口出しをしない方がよい」という当時のスミスの提案は確かに斬新《ざんしん》なものだった。しかし残念ながら、たった一回しか著作に登場しないその言葉が、自由主義や新自由主義を生み、貧富の格差を放置する考え方が生まれた。それを批判する形で、のちにマルクス主義が生まれた。スミスの経済学は、それらすべての経済学の母胎《ぼたい》となった。

近代の哲学・思想

リカード

途上国には迷惑千万「比較優位説」

ニュースを見ていると、貿易の自由化とかいう言葉がよく出てくる。政府が輸入品に関税をかけたり規制をかけたりせず、なるべく民間に任せて自由に貿易しましょうや、というのが、自由貿易だ。そして、そうした自由貿易をした方がどの国にとってもウィンウィンの結果になるよ、と唱えたのが、デヴィッド・リカード（1772〜1823年）だ。

リカードの理論（比較優位説）をプロ野球にたとえて考えてみよう。プロ野球の選手が大リーグで活躍しようとすると、契約でも生活の場面でも英語で話したり書いたりしなきゃいけない。もちろん本人が英語を使いこなせればベストだけれど、英語の勉強のために肝腎の野球がおろそかになってはいけない。そこで通訳を雇い、球団との契約や生活の場面で助けてもらえば、選手は野球に専念でき、さらに交渉で高額な契約金を勝ちとれるかもしれない。通訳はお給料をもらえるし、ウィンウィンの関係になる。

このように、比較的自分が得意とする分野に特化して、苦手な分野を別の人にお任せすると互いにウィンウィンの関係になるよ、という理論を、比較優位説という。現在の自由貿易は、このリカードの比較優位説に基づいて進められている。

ただし、比較優位説には一つ、注意しなければならないことがある。「強い立場の側が弱い立場の人間を困らせる」ことがないようにすることだ。

たとえば弁護士が、会計事務を任せるために事務員を雇ったとする。弁護士は事務もできるけれど、弁護の仕事に集中するために、事務は事務員にお任せする。ここまでならまさに比較優位説の言う通りとなる。

しかし、もしその弁護士が強い立場を利用して「事務員はいくらでも代わりがいるんだ」と言い、給料を減らそうとしたら？　しかも世間の事務員みんなが同様の圧力を受けていたとしたら？　事務員はやむなく、低賃金を受け入れざるを得ないかもしれない。弱い立場の人に配慮を欠くと、比較優位説は、一方的に不利な人間を生み出すことになりかねない。

これと同じことがインドで起きた。産業革命で大量の布製品を作れるようになったイギリスは、余った布をインドで安く売りさばいた。当時のイギリスの布製品は世界一安く、インドの繊維業は壊滅的な打撃を受けた。インドにとって繊維業は一大産業だったから、インド経済は大混乱に陥った。

このとき、イギリスの国策会社である東インド会社はインドに次のようにそそのかした。「君たちは経済がわかっていないからこんなことになるのだ。国の舵取りを私たちに任せなさい。インドは原料の木綿《もめん》を育て、それをイギリスに輸出し、イギリスはそれを糸や布にしてインドに輸出する。こうすればリカードの言う比較優位説の通りで、どちらも儲かり、ウィンウィンになるじゃないか」

その通りにしたところ、インドはますます困窮《こんきゅう》した。作った木綿は安く買い叩《たた》かれ、イギリスが売る布は安すぎて国内の繊維業にますます打撃を与え、インドはちっとも儲からなかった。

これと同じことがアフリカでも起きた。アメリカから輸出される小麦やトウモロコシは、アフリカの貧農でも太刀打ちできないほど価格が安かった。このため、アフリカの農家は小麦やキャッサバなど腹の膨《ふく》れる作物を育てても売れず、生活できなくなり、やむなくコーヒー農園で賃仕事をするように。その賃金でアメリカの小麦を買い、自分たちはコーヒー豆を育てて輸出する。これもリカードの言う比較優位説に沿っている状態。

しかし、コーヒー豆生産国はほかにもある。「コーヒー豆はあんたの国から買わなくても手に入るんだよ」と先進国から揺さぶられると、コーヒー豆の市場価格は下落してしまう。すると、コーヒー農園で働く人たちの賃金が下がる。減った賃金では、世界一安いはずのアメリカの小麦さえ買うことができず、飢えてしまう。

アフリカで飢餓《きが》が頻発するのは、アメリカなど先進国が安すぎる穀物を売るため、アフリカの農家は穀物を作っていては生活できなくなり、コーヒー豆などの商品作物の価格が値崩れすると賃金が減り、安いはずの穀物も買えなくなり、飢えてしまう、という構造が原因。まっとうに稼げる仕事がない状態では、飢餓を克服することは難しい。安すぎる穀物が飢餓を発生させやすくするという皮肉な問題がある。

もしアフリカに農業以外の産業があれば、飢《う》えずに済んだかもしれない。その仕事で稼ぎ、食料を買えばよいのだから。欧米や日本など、先進国が飢えずに済むのは、農業以外の産業が強く、それでお金を稼げるからだ。しかしアフリカの国々の多くは農業以外に目立った産業がない。そんな国に安い穀物を売りつけたら、アフリカの農家は現金を手に入れる手段を絶たれて、飢えやすくなる。

比較優位説で不幸になる人を生まないようにするためには、「その国の強みが一つ失われてもほかの強みで雇用を守り、人々の生活を支えることができる」という条件が、互いの国でそろうことが必要となる。そうでない場合、片方の国で一方的な被害が出る恐れがある。

経済という言葉は「経世済民」という言葉からきているという。世を経《おさ》め、民を済《すく》う、という意味だ。つまり、すべての人々が幸せに生きるための方策を考えるのが経済学だ。その観点から考えると、どんな場合にも比較優位説は正しい、とみなすのは危険だ。比較優位説は、条件がそろうなら非常に魅力的な理論だが、使い方には注意が必要だ。

しかしこのことについては、リカードが亡くなってから200年にもなるのにきちんと語られていない。むしろこれはリカードに対して失礼な話だといえるだろう。リカードの比較優位説を適切に使いこなすには、「注意事項」を広く共有する必要があるように思う。

産業革命以降の哲学・思想

ダーウィン

「弱肉強食」主義の蔓延《まんえん》

ダーウィン（1809〜1882年）は進化論を唱えた人物として有名だ。人はサルから進化した、というのも、今では世界の常識だといってよいだろう。

しかしダーウィンが進化論を唱えるまで、それは決して常識ではなかった。ダーウィンが生まれた頃には、すでにキリスト教の支配力は低下していたとはいえ、まだまだ素朴にキリスト教を信じていた人も多かった。そして聖書によると、すべての生き物は神様が創造したと書いてある。昔から人間は人間だし、イヌはイヌだし、ネコはネコ、ゾウはゾウ。神様が創造したときから、生物はすべて今の姿と同じだったと考えられていた。

しかしダーウィンの進化論は、その常識を覆した。生物は長い歴史の中で姿を変え、環境に適応し、進化してきたのだ、と考えた。

ダーウィンが生きた時代は、「神は死んだ」と述べたニーチェの時代にも重なっている。

また、イギリスが世界中で多くの植民地を支配し、白人は人類の中でも特に優秀な種族なのだと信じ始めた時代でもある。さらに、産業革命で社会が激変する時代でもあった。進化論には強い反発もあった一方で、この学説は都合がよいと考える人も増えていた。

ダーウィンの進化論は当時、ゆがんだ形で受け入れられた。それが「弱肉強食」。ダーウィン自身は弱肉強食と言ったわけではなく、環境の変化に適応できたものだけが生き残れる（適者生存）と考えた。ところがダーウィンの進化論を、どうしたわけか「強者が弱者を食べて生き残るのが自然の法則」と読み替える人が続出した。

自然界が弱肉強食ならば、人間社会が弱肉強食なのも当然ではないか、ならば金持ちという強者が弱者である貧乏人を食い物にしてもそれは自然の摂理《せつり》ではないか。そう考える人たちを生んだ。

イギリスでは産業革命が起き、手作業で布を織る人々は仕事を失い、工場で働いても低賃金に苦しまなければならなかった。12時間労働は当たり前で、子どもも働かされた。あまりに過酷な労働だったので、若いのに亡くなる人が多かった。他方、工場を経営する資本家は大儲けし、貧富の格差が拡大した。本来なら、キリスト教はこんな状況を許せないはずだ。けれどそんなときに現れた弱肉強食論は、「資本家が労働者を食い物にするのも自然の摂理なのだ」という言い訳に使われた。

ダーウィンが述べたのは「弱肉強食」ではなく「適者生存」だ。しかしダーウィンがどういうつもりであろうと、当時の貧富の格差の大きいイギリス社会では、弱肉強食の理論ととられ、お金持ちたちが自己弁護する道具に使われた。

そして2000年代に入った日本でも新自由主義が吹き荒れている。ある経済学者は「みなさんには貧しくなる自由がある」と発言し、貧富の格差が拡大することを当然視している。こうした「弱肉強食」の考え方、ダーウィンが生きていたとしたら、どんな思いを抱くだろうか。「そうじゃなくて！」と言い返しそうな気がする。

ロバート・オウエン

労働者も幸せに生きるために

産業革命時代のイギリスの工場で働くことは、早死にを意味するようなものだった。過酷《かこく》な長時間労働、生きていくのがやっとの低賃金で、健康を損なう人が多かったためだ。ロバート・オウエン（1771〜1858年）は、9歳未満の子どもの労働を禁止する工場法の成立につとめた。つまり、それ以前は9歳未満の児童でも働かせていたということだ。

産業革命時のイギリスでは、弱肉強食の考え方が広がっていた。いかに労働者を安い賃金でこき使い、経営者や資本家の取り分を増やすか、ということに熱心だった。強い立場を利用して弱者から搾《しぼ》り取る行為は、自然界の掟《おきて》なのだから自分たちは悪くない、と考えるのが、当時の常識になっていた。

そんな中、ロバート・オウエンは変わった経営を行った。労働時間を短くし、給料をなるべく多めにし、生活必需品《ひつじゅひん》を労働者に安く提供する（生協の起源ともなった）など、労働者の環境改善につとめた。当時の資本家や経営者たちは「労働者を甘やかしたらつけあがるだけだ、失敗するからやめておけ」と忠告したという。

ところがオウエンの工場は、世界一細い高級糸をつむぐことに成功し、経営的にも大成功した。オウエンが工場法を（不十分な内容とはいえ）成立させることができたのは、こうした成功があったからだ。

オウエンの成功は、弱肉強食を当然視し、労働者を低賃金でこき使おうとする自由主義の時代に、反証を突きつけるものだった。労働者の生きる権利を守ること、労働者の幸せを願うことは、必ずしも企業の成長、社会の発展と矛盾しない。むしろそれを増進するのだということを、経営の現場から実証してみせた。

貧富の格差を是正し、働く人の誰もが豊かに生きていける社会は実現できるのかも。オウエンの試みは、のちの社会に大きな希望を植えつけることになった。

マルクス

民が王となる世界観の創造

唐突《とうとつ》だが、ユダヤの人たちは、いろんな面で非常に興味深い。考えてみると、ユダヤ教はキリスト教、イスラム教という、世界的宗教を二つも生み出す母胎となった。キリスト教の始祖となるイエス・キリストもユダヤ人、「この世、宇宙のすべてが神そのもの」という世界観を語ったスピノザもユダヤ系、労働者が国を治めるという大胆不敵なアイディアを述べたカール・マルクス（１８１８〜１８８３年）もユダヤ系。相対性理論を生み出したアインシュタインもユダヤ系。ユダヤの人々は、宇宙観や世界観をアップデートするのが大好きなのだろうか。

何はともあれ、マルクスという人はそれまでの社会とは逆の社会像を構想した。王様や貴族、お金持ちといった社会の強者が国を支配するのではなく、社会的弱者である労働者が国を治めるという、それまでとは逆さまの社会を構想した。

マルクスは共産主義という考え方を生み、その後、ソビエト連邦《れんぽう》などの共産主義国家を生むきっかけをつくった人、として知られる。それを知ったうえでマルクスの『資本論』を読むと、奇異な感じがするかもしれない。共産主義のことがたくさん書かれているんだろう、資本主義をボロクソに批判しているのだろう、と思ったら、ひたすら資本というものの動きや影響力を分析しているからだ。資本主義の研究書、といった方がよいだろう。

ところで、『資本論』とは話が違うけれども、マルクスは、資本主義が究極まで発達すれば、いずれ労働者（プロレタリアート）が支配者になり、国を治める共産主義に「進化」するだろう、と考えていたようだ。しかし実際には、資本主義が十分に発達していない田舎の国、ロシアで共産主義革命が起きた。虐《しいた》げられた人々が国を運営するのだ、という点に多くの人が共鳴したからなのだろう。その後、東欧やアジアの国々が次々と共産化していった。

今の若い人には信じられないかもしれないが、共産主義は世界で大流行した時代があった。そのあまりの流行ぶりに、第二次世界大戦後、このままだと世界中の国々がドミノ倒しのように共産主義に変わるだろうという「ドミノ理論」が信じられたほどだった。共産主義がそこまで支持されたのは、それだけ虐げられ、苦しんでいた労働者が多かったからだろう。自由の国、アメリカでさえ第二次大戦前は貧富の格差が大きく、共産主義者に手を焼いていた。

共産主義の広がりに、当時のお金持ちたちは恐怖した。なにせソビエト連邦では、お金持ちが全財産を没収されたり、殺されたりしていたからだ。もし自分たちの住む国が共産化したら、お金をすべて失い、ひどい場合は殺されてしまうかもしれない。そう恐怖した。

何とかして共産主義の広がりを食い止めなければならない。これが、第二次世界大戦後の欧米、日本のような国々での重要な政策課題となった。

産業革命以降の哲学・思想

ニーチェ

神に代わる超人の提案

私は、神を殺したのはデカルトだと考えている。デカルト自身は著書『方法序説』などで神の存在を証明しようとしているけれども、私には「言い訳」に見える。出版前にガリレオが宗教裁判にかけられたのを見て、「神様信じてるよ」とアピールしておかないと危険だと考えたのではないか、そう私は勘繰《かんぐ》っている。

同様に感じた人は多かったようで、デカルトの影響を強く受けたスピノザは、この宇宙のすべて、ありとあらゆるものが神そのものなのだ、と考えた（汎神論《はんしんろん》）。これは裏返した見方をすると、「神はいなくて、この世界があるだけ」と解釈することも可能。当時の人たちはスピノザを無神論者だと攻撃したけれど、そうとられても仕方のない面があったかもしれない。

やはりデカルトの影響を強く受けたディドロも無神論者とされていた。ディドロの時代には教会の力は弱まり、無神論者だと批判されても、処刑されることはなくなった。デカルトの生み出した合理主義は、まさに「神を殺した」といってよいように思う。

ニーチェ（1844〜1900年）の時代になると、キリスト教の支配力はさらに弱まっていた。だからニーチェは「神は死んだ」とはっきり宣言することもできたのだろう。

しかし、キリスト教の神は、長らく西欧の人々の心の支えであり、指針であった。それを失えば、人々は何を指針にして生きていけばよいのだろう？ ニーチェは、神なき時代でも動揺せず、堂々と生きる人間を「超人」と呼んだ。神なき時代に「超人」というロールモデルを示したわけだ。

この「超人」になれという呼びかけが、後のヒトラーやスターリンといった「カリスマ」を生み出す原因になったようだ。デカルトが合理主義の思想を生み出して以降、まるで神様を置いてけぼりにするように社会が激変していった。産業革命による社会の変化は、それを加速させた。そんな変化の激しい時代に、キリスト教はどう行動すべきかの指針を十分には示してくれなくなっていた。

不安な時代に、「強いリーダー」がまるで超人のように、自信たっぷりに迷いなく「私たちの進むべき道はこっちだ！」と言ってくれると、安心して民衆はついていける。超人的リーダーは、神の代替物となった。ヒトラーやスターリンといったカリスマ的リーダーが現れたのは、キリスト教という心の導き手を見失った時代背景と、ニーチェの示した「超人」というロールモデルの影響を受けたからだろう。

ところで、デカルトから始まってカント、ヘーゲル、ニーチェなどの思想・哲学書を読んでいると、私は奇妙なことが引っかかる。それらの思想が妙に「孤独」であることだ。デカルトは自分一人で正しい思想を再構築しようとした。カント、ヘーゲルは、さらに緻密に理性を検討したけれど、やはり「一人で」やり遂げようとする孤独な姿勢は一緒。そしてニーチェも、ただ一人、自分が超人になろうとした。みんな「孤独」だ。

しかし私は、孤独である必要をまるで感じない。レナード・リード（1898〜1983年）という経済学者は、鉛筆《えんぴつ》を作れる人間はこの世にいない、と指摘した。鉛筆の芯《しん》に使う黒鉛《こくえん》はどんな原料を使えばよいのか、どんな加工をすればよいのか、鉛筆に使う木材はどの樹木がよいのか、いつ切ればよいのか、切った後どのくらい乾燥させればよいのか、どんな風に加工すればよいのか……などなど、それぞれの専門業者でないとわからないことだらけ。私たちの社会は、分業で成り立っている。それぞれの持ち場で知識と技術を持ち寄り、協力し合うことで1本の鉛筆を作り上げている。

鉛筆みたいに単純な製品でもそうなら、当然、半導体やリチウム電池なども、一人で作れる人はこの世にいない。人類知は、多くの人たちと関わり、支え合うことで成り立っている。

ところが、デカルトからニーチェに至るまで、どうしたわけか、自分一人だけで人類の導き手になろうとしているように見える。たくさんの人たちで知を支え合う発想をとっていない。その意味で、彼らはソクラテスの弟子とは言えない。ソクラテスは、凡人同士が問い合い、語り合うことで知を生み出すことを提案したのだから。

ニーチェの超人思想は面白いのだけれど、結局はデカルト以降から続く、自分だけが卓越した優秀な人間なのだ、と信じたい、そんな願望が背景にあるように思う。一人で背伸びしても大したことはできないのに。

ところでニーチェの思想では「永遠回帰」という考え方が出てくる。この世のことは同じことの繰り返し。つまらない、くだらないことの繰り返しを、ニーチェは永遠回帰という言葉で表現した。

この永遠回帰という考え方は、ニュートン力学の世界観が影響しているのだろう。ニュートンが万有引力の法則を発見して以降、宇宙のすべての物体は万有引力の法則通りに動き、100年後、あるいは1万年後の未来も、その法則の延長線上で動いていると信じられていたからだ。まさに「永遠回帰」だ。

法則に支配され、遠い未来まですべて確定していると思うと、なんだか自分の生きている意味がわからなくなってしまう。自分の意志で決めたと思っていても、しょせんそれも体内の化学反応が法則通りに進んだ結果でしかないのかもしれない。だとしたら、自分の意志に何の意味があるのだろう？　なんだか絶望してしまいたくなる。ニーチェは、こうした時代の気分を読み取り、その絶望感を永遠回帰と名づけて言語化した。

そんな絶望的な「永遠回帰」の世界でも、あえて肯定し、何度でも生きることを選んでみせよう、という逆説的な姿を、ニーチェは描いた。この話、私はある物語にとても似ているように感じる。『荘子』にあるエピソードだ。

ある醜《みにく》い男が眠りにつき、ありとあらゆる醜い生き物に生まれ変わり、何度もさんざんな目に遭う、という夢を見た。眠りから覚《さ》めると、そばにいた友人に夢のことを話して聞かせた。友人は「で、そんな夢を見てどんな風に思った？」と尋ねた。すると男は「それなりに楽しませてもらったよ」と答えたという。

ニーチェの逆説的肯定と、荘子の肯定。非常によく似ている。つらいこと、苦しいことをあえて笑って肯定する。その気宇の大きさに、私たちは感動を覚える。人間とは、不思議な生き物だと思う。

産業革命以降の哲学・思想

フロイト、ユング

小舟の「理性」を浮かべる大海、「無意識」の発見

デカルト、カント、ヘーゲルらが広めた、いわば「理性教」は、「人間は理性的な生き物、理性的にふるまうのがかっこいい、理性的に生きようとするのは当然」という考え方を人々に広げた。しかし「理性教」が広がりを見せる中で、どうしても理性的にふるまえなくなる人たちが現れた。精神的に参ってしまった精神病の患者たち。人は理性的な生き物のはずなのに、理性的にふるまえなくなってしまった人たちの存在を、もはや無視できなくなっていた。

なぜ人は理性的に生きられるとは限らないのか？　その理由をわかりやすく説明したのが、ジークムント・フロイト（1856～1939年）だった。フロイトは、人間が考えたり言葉で物事を理解したりする「意識」のその下に、「無意識」が存在する、と考えた。そして、意識でどうにか制御し、抑え込もうとしても無意識がそれに反抗し、どうしても

抑え込めないとき、心の病を発するという考え方を示した。人間は理性的に生きようとするだけでは無理があり、無意識から湧き上がる情動で突き動かされる生き物なのだ、という姿を描き出した。

ただ、フロイトはクセが強かった。何でもかんでも性的な話にもっていく傾向があった。これは一つには、キリスト教が性に対して非常に抑圧的な宗教だったから、その反動だったのかもしれない。ユング（1875〜1961年）は師匠のそうした姿勢を嫌って、のちに離れたくらいだ。けれど「無意識」を言語化し、人々にその理解を広めた功績は大きい。デカルト、カント、ヘーゲルが素朴に信じた理性よりも、強力に私たちの心を支配する「無意識」なるものの存在を、フロイト、ユングらは示した。

デカルト、カント、ヘーゲルらは、キリスト教に代わる心のよりどころとして「理性教」を確立したが、フロイトらの「無意識」の発見は、理性が無意識という海の上に浮かぶ小舟にすぎないことを明らかにした。無意識の海が荒れ狂っていれば、理性はうまく機能できない。

フロイトやユングらが開拓した心理学（精神分析）は、理性の力で個人の行動も社会全体も制御できると考えてきた「理性教」に無理があることを明らかにした。理性だけを考えるのでは足りない。私たちの心を事実上支配する無意識に配慮しなければ、私たちの心は平穏を保てない。そうした認識を広めるのに、心理学の誕生は大きな貢献をしたといえるだろう。

現代の哲学・思想

ナチズムの登場

「理性教」への疑念

第二次世界大戦が起きる前、イタリアではファシスト党が、ドイツではナチスが現れた。ナチズムについては多くの書籍があるから、詳しくはそちらを読んでいただきたい。本書では、哲学や思想の流れの中で、位置づけを探ることだけに絞りたい。

奇妙なのは、ナチズムが、カントやヘーゲルなど、理性的な哲学者たちを生んだドイツで発生したということだ。ドイツはいわば「理性教」を確立した聖地であるはずなのに、なぜ600万人に及ぶユダヤ人大虐殺という、人類史上類例のない残虐な行為を実行してしまったのだろうか。

ナチズムが発生する前、第一次世界大戦（1914〜1918年）で、ドイツは負けた。この世界大戦は、これまでの戦争にはない特徴があった。過去の戦争は一人一人の人間が剣をふるって戦うか、せいぜい一発ずつしか撃てない鉄砲で敵を倒すというものだったが、マシンガンや毒ガスなど大量殺戮《さつりく》兵器が開発された。それまでの戦争とは比《くら》べものにならない数の戦死者を出した。また、弾薬の消費量も莫大《ばくだい》で、戦争に勝ったはずのイギリスなども経済的に困窮することになった。

その損失を穴埋めしようと、戦勝国はドイツに賠償金《ばいしょうきん》を求めた。しかもその賠償額は、天文学的数字といわれる巨額なものだった。

あまりに巨額で支払いが追いつかなくなった。するとそれを口実にフランスやベルギーがドイツの工業地帯（ルール地方）を占領してしまった。ルール地方の労働者は怒ってストライキ。すると工業製品が手に入らなくなり、物価高になり、物を買うのに紙幣《しへい》が足りなくなり、政府は紙幣を増刷《ぞうさつ》し、そのためにお金の値打ちが下がり、さらに物価高が進み……という悪循環で、物価が１兆倍になるハイパーインフレが起きた。

こうしたドイツ社会の混乱を利用し、ナチスは政権を握り、巨額の賠償金の支払いを拒否し、そればかりか次々に他国を占領。破竹《はちく》の勢いにドイツ国民も熱狂的にナチスを支持し、その指導者であるヒトラーに心酔した。

ヒトラーは、「敵」を作るのがうまかった。ハイパーインフレでドイツ国民が苦しむ中、金融業を営むことが多かったユダヤ人（※ただしユダヤ人は金融業以外の職業に就く人も多く、貧しくつましい生活を送る人も多かった）にドイツ国民の憎悪が集中するように仕向けた。そして、強制収容所にユダヤの人々を送り込み、大量虐殺を行った。

戦後、アウシュビッツ強制収容所のあまりの凄惨《せいさん》さに連合軍の人々は驚き、ドイツ国民にこれを知らなかったと言わせてはいけないと考え、多くのドイツ国民に収容所の実態を見せることにしたという。ＮＨＫスペシャル『新・映像の世紀』では、その残虐さを目の当たりにしたドイツ国民が「許してくれ、知らなかったんだ」と叫んだところ、生き残ったユダヤ人が「いいや、あなたたちは知っていた」と答えるシーンが紹介されている。

なぜナチズムは生まれたのだろう？　なぜヒトラーという独裁者の誕生を許したのだろう？　やはり、とても支払いきれない巨額の賠償金をドイツに課したことが大きいだろう。巨額の賠償金に怒りを覚え、ハイパーインフレで自暴自棄になる人々が増えていた。そんな国民の気持ちをすくいとり、権力を握ったのがナチスであり、ヒトラーだった。返しきれない巨額の賠償金という重荷を背負わされ、ドイツ国民は何らかの形で暴発せざるを得ない状況に追い込まれたといえるだろう。

ヒトラーを見ていると、私はどうしてもプラトンの『国家』を思い浮かべずにいられない。

プラトンは著作『国家』で、ソクラテスのように優れた哲学者が国を治めたら理想の国家になるだろう、という構想を示した。ヒトラーは、まさにこのプラトンの構想をうまく利用して、自分がまさに優れた指導者なのだ、というイメージを作るのに成功したのだろう。

また、ニーチェの超人思想の影響もうかがえる。ニーチェは、西洋を支配してきたキリスト教の神がいよいよ力を失い、神のない世界で人間は超然として生きていかねばならない、という超人思想を説いた。ヒトラーはまさにこの超人としてふるまい、人々に「神なき時代に私たちを導いてくれる強い指導者」というイメージを与えることに成功した。ニーチェの構想をうまく利用した、といえるだろう。

ヒトラーは、プラトンの『国家』とニーチェの超人思想をモデルにして生まれた怪物なのかもしれない。

デカルト、カント、ヘーゲルらが確立した「理性教」は、人間の誰もが等しく理性をもち、(限界はあるものの)立派な判断力を備える、と考えていた。けれど、巨額の賠償金を押しつけられるという無理を強いられたドイツ国民は、理性だけではその惨憺《さんたん》たる状況を克服できなかった。この状況にノーといってくれるリーダーが欲しい、そんな心理に、ドイツ国民は追い込まれてしまったのだろう。

ナチズムとヒトラーは、そうしたドイツ国民の心のひずみに巧妙に反応した。理性は、あまりに苦しい状況に追い込まれたとき、うまく働かなくなる。そんなときは、理性よりも心に甘くささやく言葉にすり寄ってしまう。人間はそういう生き物であることを、ナチズムという歴史が暴き立ててしまったように思う。

理性は、つらく苦しい理不尽な状況の中では機能しにくくなる。

ケインズ

共産主義でも自由主義でもない「修正資本主義」

第一次世界大戦後、ソビエト連邦という共産主義国が誕生（1922年）して以降、欧米のお金持ちは共産主義の広がりに恐怖を抱いていた。何しろ共産主義国になると全財産を没収されたり、殺されたりしたのだから。自分の国が共産化したら大変だ、と恐れられていた。

しかも第二次世界大戦後も、共産主義の勢いは止まらなかった。東欧やアジアの国々が次々に共産化した。この状況を放置すれば、やがてドミノ倒しのように世界中の国々が共産主義国に変わってしまう、というドミノ理論が信じられていた。

共産主義を食い止めるためにはどうしたらよいだろうか？　そんなとき、共産主義の対抗策として採用されたのが、ケインズ（1883～1946年）による修正資本主義だった。では、ケインズの修正資本主義とはどんなものだったのだろうか。

ケインズ経済学を理解するには、まず、二人の人物を紹介した方がよいだろう。彼らの名は、ロバート・オウエンとヘンリー・フォード。

オウエンは別項でも詳しく紹介したように、まさに弱肉強食時代の産業革命のさなかに、高い給料・無理のない勤務時間・生活品の低価格提供という好条件を整えた結果、当時の工場経営者や資本家たちの「絶対失敗する」という批判とは裏腹に、世界一細い高品質な糸を紡ぎ出し、経営的に大成功を収めた。

フォードは第一次世界大戦から第二次世界大戦にかけて活躍した、「自動車王」とも呼ばれる大実業家だ。この時代、チャップリンの『モダン・タイムス』（1936年）という映画で描かれているように、工場労働者は安い賃金でこき使われ、貧富の格差が非常に大きかった。このため、自由の国アメリカでさえ、共産主義の流行を抑えきれなかった。そんな中、フォードは8時間労働、週休2日、しかも破格の高給、という好条件で工場を経営した。当時の資本家や工場経営者たちは「そんなことをしたら労働者をつけあがらせるだけ、絶対失敗する、やめておけ」と反対した。ところが自動車の品質は向上し、生産性が上がり、しかも従業員自身が自動車を買ってお客さんになってくれるというおまけつき。これにより、フォードの自動車会社は大発展を遂げた。

オウエンとフォードは、当時としては変わり者扱いされた。しかしケインズは、こうした変わり者の経営者がなぜうまくいったのかを分析し、労働者に手厚く給料を渡す方が経済全体も活性化するという理論を構築するのに成功した。

ケインズ以前の経済学は、「生産」にばかり力点を置いていた。これはマルクス経済学でも同様だ。しかしケインズは「消費」に軸足を置いた。労働者に高給を渡せば、彼らは消費する。消費すると物がたくさん売れるから、工場は儲かる。工場が儲かれば労働者の賃金も上昇し、さらに労働者はたくさん消費する。そうした好循環が社会をさらに豊かにし、全国民を豊かにする、と考えた。

お金持ち（資本家）は第二次大戦後、このケインズによる修正資本主義を導入することを受け入れた。これなら、資本家の取り分は、労働者に高めの給料を払う分、減るかもしれないが、全国民的に豊かになるから労働者の不満は小さくなり、ひいては共産化の心配も減るだろう。共産化せずに済むなら、自分の取り分が減ったとしても、修正資本主義に乗り換えた方がずっとマシだ、と考えたようだ。

このケインズによる修正資本主義は第二次大戦後、欧米、日本などの「西側諸国」と呼ばれる国々で採用され、大きく経済発展することに成功した。「消費」に軸足を置いたケインズ経済学では、消費者心理をくすぐる新商品が次々に生み出され、経済が活性化した。特にバブル経済全盛期の日本だと、国民のほとんどが自分を中流階級だと感じるという、世界史上まれにみる偉業を達成することができた。

新自由主義に舵を切る

他方、「東側」と呼ばれた共産主義国では、経済がうまく回らなかった。「生産」に軸足を置きすぎていたことも一因だろう。満足に食べることもできなかった貧しい時代なら、ともかく食べられればそれでよかった。しかし飢えることがなくなったら、好奇心をくすぐる商品でないと消費者は飽きてしまう。工夫がない、変わり映えのしない商品ばかりでは消費は刺激されない。また労働者側も、同じ商品を作るばかりではつまらない。楽しくもなく、給料も同じならサボった方が得、になってしまう。そんなこんなで、共産主義経済は停滞した。

修正資本主義の「西側」は華やかで楽しそう、共産主義の「東側」は経済低迷。そんな状況に耐えかねて、次々に共産主義国が民主化していった。このとき、アメリカなど西側陣営は「資本主義の勝利」と喜んだ。しかしこの言葉は解像度が低いように思う。ケインズによる修正資本主義が、共産主義以上に格差是正と経済発展を両立させることができたから、なのだろう。

ところが、共産主義国の多くが崩壊すると、「西側」に住むお金持ちたちは、もう共産主義に怯《おび》える必要はない、と安心したようだ。ならば、修正資本主義をやめ、自由主義的な経済に戻してもよいだろう、と考えたようだ。

すでにイギリスのマーガレット・サッチャー首相（1925～2013年）やアメリカのドナルド・レーガン大統領（1911年～2004年）が、貧富の格差を容認する新自由主義に舵《かじ》を切り始めていた。共産主義国がどんどん崩壊する様子を見て、お金持ちは安心したのか、自分たちに有利な政策をとるよう働きかけた。相続税、法人税、所得税を減らす政策を進めさせた。お金持ちは親から相続した莫大な財産を相続税で減らさずに済み、法人税が安くなった分の利益を株主への配当に回させ、従業員の給料を低くして浮いた利益を株主に還元させ、と、お金持ちに有利な政策が進められた。このためアメリカの貧富の格差は特にひどくなり、所得上位10％の富裕層の純資産は総額80兆ドル、アメリカのGDPの4倍にもなるという（宮本弘曉「米国の所得格差と経済政策」国際問題No.703、2021）。

投資家は「自分たちは財産を失うかもしれないリスクをとって投資をしている、儲けはその見返りなのだから、儲けても全然かまわない」と主張することが多い。ところがトマ・ピケティ『21世紀の資本』によると、投資家たちは口で言うほどリスクをとっていない。この本では「r＞g」という式が示される。国の経済成長率（g）よりもお金持ちの資産が増える速度（r）の方が速い、という数式。つまり、お金持ちは安定して儲けているということだ。

考えてみれば当然だ。投資家は生活に困らない程度の貯蓄を確保したうえで、余分な金をリスク資産に投じている。リスクをとっているようでとっていない。「リスクをとっているから儲けて当然だ」という投資家のリクツは、正しいようでどこか詭弁《きべん》めいている。

日本もイギリスやアメリカと同様、新自由主義が２０００年代に入ってから広がり、派遣社員や契約社員は低賃金で働かされるようになった。貧困で苦しむ家庭が増え、子ども食堂は全国で６０００カ所（２０２１年）にもなるという。こうした貧富の格差が大きくなってきたためか、マルクス主義、共産主義への注目度が上がっている。斎藤幸平氏の『人新世の「資本論」』は50万部を超えるベストセラーとなっている。

こうして歴史を振り返ると、

お金持ちばかり儲けて貧困層を顧《かえり》みない自由主義→共産主義の流行→共産主義を抑えるためのケインズ流修正資本主義の採用→共産主義国家の崩壊→共産主義への恐怖が減り、新自由主義へ→貧富の格差拡大→共産主義の再流行

と、同じ歴史を繰り返そうとしているようだ。

おそらく、お金持ちからしたらケインズ流修正資本主義も、自分たちの取り分が減るから共産主義に近い、嫌な制度なのだろう。共産主義と比べれば全財産を没収されることがないからマシ、というだけだったのだろう。だから共産化の恐怖が後退した途端に、修正資本主義をやめ、新自由主義に乗り換えたのだろう。

しかしその結果、再び共産化の可能性を生んでいるのだとしたら、実に皮肉なことのように思う。

現代の哲学・思想

レイチェル・カーソン

科学「性善説」への疑問と「センス・オブ・ワンダー」

産業革命以来、科学は社会を大きく変化させ続けた。第一次世界大戦前後には、空気から肥料を作る画期的な技術（ハーバー・ボッシュ法）が誕生した。これにより化学肥料を大量製造できるようになり、食料生産が飛躍的に向上した。

また、化学農薬も驚異的な効果を示した。『センス・オブ・ワンダー』の翻訳者、上遠《かみとお》恵子《けいこ》氏は著書『レイチェル・カーソンの世界へ』で子どもの頃の驚きを伝えている。戦前はイナゴが大量発生し、あらゆる作物を食い尽くし、衣服さえかじられて、人間には一粒のコメも残らなかったという食料難を何度も経験してきたのに、化学農薬がその恐怖から解放してくれた。科学の力の偉大さを思い知らされた、と。

１９６９年には人類が月に到達した。ついに地球の外に出て宇宙へ旅するように。科学は人類の活動をどこまでも拡張する無限の力のように感じられた。

そんな科学礼賛《らいさん》の時代に、『沈黙の春』が出版された。この本では、化学物質が様々な生物を死に追いつめ、やがて小鳥のさえずりも聞こえない「沈黙の春」を迎えることになるかもしれない、と警鐘が鳴らされていた。

この著作はその後、科学的に難がある内容も一部指摘されたものの、油に溶けやすく（脂溶性）分解しにくい化学物質は、食物連鎖の中でどんどん濃縮され（生物濃縮）、多くの生物を死に追いやってしまうメカニズムが明らかとなっていった。化学農薬万能を信じて疑わなかった科学信仰に一石を投じることになった。この『沈黙の春』の著者こそ、レイチェル・カーソン（１９０７〜１９６４年）だった。

その後、画期的技術と思われていたものが人類を危機に追いやるかもしれない事例が相次いだ。フロンは「夢の物質」とされ、エアコンの冷媒や半導体の洗浄などに使用されていたが、オゾン層を破壊し皮膚がんを増やす恐れがあるとされ、規制されるようになった。二酸化炭素は大した毒性がないと思われていたが、地球温暖化の原因となり、地球が人類の住めない星になるかもしれないということが認知され、規制が進められるようになった。

科学を無条件に礼賛するのではなく、思わぬ危険性を招く恐れがあるということを、カーソンは教えてくれた。科学万能主義というそれまでの常識を覆し、科学も過ちをおかすことがある、という新常識を生み出したといえるだろう。

カーソンにはもう一つ、興味深い著作がある。『センス・オブ・ワンダー』だ。絵本のようにページ数の少ない、美しい写真が掲載されたその本は、教育の世界に一種の衝撃を与えている。

カーソンは4歳の甥《おい》のロジャーを夜の海辺に連れていき、波が岩にぶつかる轟《とどろ》きを身体に感じたり、雨の森へ探検に行き、しずくで光るコケを見て「リスさんのクリスマスツリー」と呼んだり、夜の窓辺で飽かず月を眺めたり。自然の不思議さ、神秘さを一緒に体験する。けれど、カーソンは子どもにあれこれ教えたりしない。ただひたすら、一緒に不思議さ、神秘さに驚くだけ。

カーソンは海洋生物学者なので、生き物の名前をしこたま憶《おぼ》えていた。だからその気になれば名前を教え、いろんな解説をすることもできた。けれどカーソンは、そんなものはたいして重要ではない、と言う。自然や生命の不思議さ、神秘さに目を瞠《みは》り、驚く感性（センス・オブ・ワンダー）こそが大切だ、と考えていた。

知識を受けとめる体験ネットワーク

私自身の体験をちょっと紹介しよう。和歌山県の海で海水浴を終え、帰ろうとする親子がいた。「ここ、星がきれいですよ。予定がないなら星をご覧になっていかれたらどうですか？」と誘った。

夜になり、空を眺めた。若いお父さんが「残念、曇《くも》ってますねえ」と言ったのに答えた。「何言ってるんですか、これ、全部星ですよ。カスミの一つ一つが星」

信じられない様子なので、海岸線に浮かぶ雲と比べて、「星の雲」が動くかどうか比《くら》べてもらった。「本当だ！　これ、みんな星なんだ！」。ご両親、驚きのあまり言葉を失って星空を見つめ続けた。5歳くらいの男の子も、どうやら大変なものを目撃しているらしいと、マジマジと空を眺《なが》めた。

「あそこ、一つだけゆっくりと動いてる星があるでしょう。あれ、人工衛星」

「え！　人工衛星って見えるんですか？」

「あそこは地球からずいぶん離れてるから、まだ太陽に照らされて反射してるんですかねえ」

「へぇえ！」。親が驚いてるもんだから、子どもも興奮しながら眺めてる。「星ってむちゃくちゃ遠いから、何年、何十年もかけて光が届いてるんですってね。今見てる光は、何百年も前のものだったり。もしかしたら見えてる星の中には、今はもう爆発して存在していないものがあるかも」

「見えてるのにもうないなんてことあるんですか！　へぇえ！」

ますます大変なものを見てる感じの子ども。

その親子は私たちが寝ることにしても星空を眺め続けた。翌朝私たちが帰ろうとすると、その親子は「もう一泊して星を眺めようと思います」と言った。

ここで注意したいこと。私の下らない星の解説よりも、このお父さんお母さんは、子どもに大切なものを伝えていたように思う。自然の不思議さ、神秘さに目を瞠り、驚く感性。

何時間も飽《あ》かず星を眺めた体験は、知らず知らずのうちに体験ネットワークを形成することになる。以後、星や宇宙のことを取り上げた番組や記事に子どもは飛びつくようになるだろう。こうして体験ネットワークはさらに強化され、知識ネットワークへと延伸していく。拡大していく。

大切なのは、知識の量ではない。興味関心の強さ。興味関心が湧けば、体験ネットワークは自然に形成される。そのネットワークさえできてしまえば、「なんだ、あの体験はこんな名前で呼ばれてるのか」と、ネットワークの結び目（結節点）に名前をあてがうだけ。大切なのは、知識を受けとめる体験ネットワーク。

体験ネットワークの形成を促すのが、「驚く」こと。親である大人自身が驚き、不思議がり、興味関心をもてば、子どもも、ナンダナンダ？　と興味津々《しんしん》となる。自然や生命の神秘さ、不思議さに目を瞠り、驚く感性、センス・オブ・ワンダーこそが大切。

教えることは重要ではない。それ以上に、自然の不思議さ、神秘さに驚き、目を瞠る感性の方が大切だ、というカーソンの提案は、少なからぬ親や教育者に衝撃を与えた。なにせ、教育学では「教える」ことばかり考えてきたのだから。けれど、この提案は、ルソーの『エミール』にも通じている。ただカーソンは、「教えることは重要ではない」とはっきり言語化している点に、新しさがある。

自然や生命を心から愛惜《あいせき》していたカーソンだからこそ、『沈黙の春』のような本を世に出すことができたのかもしれない。この世界を大切にしたい、という思いが、彼女を突き動かしたのだろう。その思いがあったからこそ、科学万能というそれまでの「常識」を覆《くつがえ》し、科学も扱い方を誤るとむしろ人類を危機に追いやる恐れがある、という新たな「常識」を生み出すことに成功したのだろう。

現代の哲学・思想

カール・ポパー

科学は自ら弱点を示さなければならない

私が子どもの頃は、夏になると心霊現象やＵＦＯの特集番組がよく放送されていた。「最新の機器を駆使して、ついに幽霊の存在を科学的に証明！」「宇宙人が存在する動かぬ証拠が！」なんてことを言いながら出演者が大騒ぎしていた。子どもの私はワクワクドキドキして見ていたものだ。

ほかにも、超能力、霊能力なんてのもあった。「テレビを見ているみなさんにテレパシーを送ります！」と言ってるのを画面で見ながら、送られているはずのテレパシーを受信しようと、私も念じたものだ。全然わからなかったけど。

こうしたものは、科学全盛の時代だったからか、科学の装《よそお》いをしたうえで紹介されることも多かった。しかし大人になった目から見ると、いわゆるエセ科学といわれても仕方ない面が多々あった。では、エセ科学と科学の間には、どんな違いがあるのだろう？

カール・ポパー（1902〜1994年）は、面白い提案をした。科学の理論は自ら弱点を示さなければならない、と。「誤りを証明するデータ（反証）が出てきたら潔《いさぎよ》く理論が間違っていたと認めます」とするのが、科学の理論だという。科学の理論は、「反証可能性」という弱点を自ら示さなければならないというわけだ。

たとえばニュートンの万有引力の場合、「明日からリンゴが地面に向かって落ちなくなり、空に向かって飛んでいったりしたら、理論を考え直します」という反証可能性が示されている。科学の理論というのは、自らの理論が覆《くつがえ》ってしまうデータとは何か、その「弱点」を自ら示しているものだ、とポパーは主張した。

エセ科学は、この反証可能性が示されていない。たとえば「幽霊はいない」ということを証明することはできない。つまり、反証可能性が示されていない。反証のしようがない理論は検証しようがない。こうした理論は科学の対象から外そう、とポパーは提唱した。

こうしたポパーの考え方が広まるにつれて、誰も逆らえない「学会の権威」は姿を消していった。昔の学会には、自分の理論に疑いをはさむ発表をする者がいたら、潰《つぶ》しにかかる「権威」がいたという。「君はずいぶん鼻息の荒いことをいっているが、この論文を読んだことがあるのかね？　ない？　そんな勉強不足で、よく私の理論にケチをつけたものだね」と圧力をかけられ、潰された研究者の話は少なくなかったという。

しかしポパーの考え方でいけば、どんな権威であろうと自説の弱点を示さなければならない。自らの理論が覆される反証可能性を示さなければならない。それができないなら、それは科学ではない。そうした考え方が広がったためか、自分の理論に間違いはないと考える「学会の権威」は、次第に姿を消すようになった。

ポパーのこうした考え方は、パソコンやスマホの「アップデート」に近いように思う。スマホは様々なアプリを動かせるようOS（オペレーションシステム）が搭載されている。しかし古いOSだと新しいアプリをうまく動かせなかったり、ウイルスに感染しやすかったりする。だからOSはしばしばアップデートが必要となる。

科学の理論もOSと似ている。とりあえず今まで発見された現象はうまく説明できるけれど、新現象をうまく説明できない場合、理論の見直しを迫られる。理論のアップデートだ。反証が出てくるたびにアップデートを繰り返す。これはOSのアップデートやバージョンアップによく似た動きだ。

すべての理論は、今のところだろうと考えられた仮説にすぎない。もし新しい発見が現在の理論ではうまく説明できないなら、別の仮説を紡ぎ出す。それが科学の営みなのだろう。

では、仮説にすぎないのだからいくらでも疑っていいのか、というと、そうではない。

仮説でも現時点での妥当性があるなら、むやみに疑わず、そのまま採用する。疑わない代わりに、反証可能性という弱点をさらけ出しておく。もし反証が出てきたらためらわずにアップデートする。反証が出てこないうちは、むやみに疑わず、当面妥当性があると考えて利用する。今のところそのOSで困っていないなら、使い続けるのと同じように。

現時点で問題がないならいちいち疑わない。これは、私たちの精神的エネルギーの節約につながる。目の前のお茶には毒が入っているかも？　とか、今日は道路を逆走するクルマが現れるかも？　などといちいち疑っていると、私たちは不安と疑念で生きていけなくなる。

信頼のおける人のいれてくれたお茶はおいしいし、基本的には交通ルールを守る人ばかりだ、と「仮説」を立てて私たちは生きている。もちろん、こうした仮説が覆されることがまれに起きるから油断はできないが、「ある程度この仮説は妥当である」と考えて私たちは生きている。デカルト以降、やたらと疑り深くなった現代人に、ポパーは理論や物事との付き合い方、距離の置き方を妥当なものに補正してくれたように思う。

ポパー以前は、「理論を作るからには絶対正しいといえるものを作らねばならない、理論というからには、絶対正しいものと信じなければならない」というのが「常識」だったといえるだろう。しかしポパーによる「新常識」は、「そもそも絶対正しい理論なんか作れない。すべては仮説にすぎない。科学的な仮説は、自ら覆される反証可能性を示さなければならない。ただし反証が出てこないうちはむやみに疑わず、妥当なものとして採用すればよい。もし反証が出てきたらアップデートをためらわない」ということになるだろう。私は、このポパーの提案は、なかなか妥当なもののように思う。

現代の哲学・思想

ケネス・J・ガーゲン

「存在」ではなく「関係」

アメリカでは中絶に関する意見が真っ二つに割れ、中絶賛成派と反対派は、互いに相手が間違っていると非難し合い、意見がまとまることはないという。しかしケネス・J・ガーゲン（1935年〜）の『関係からはじまる』には、興味深い事例が紹介されている。なぜ中絶に賛成するようになったのか、あるいは反対するようになったのか、それぞれの個人的なエピソードを話してもらった。「自分の妹にこうした悲しい出来事があって」「自分自身がこんなつらい目に遭《あ》って」と、それぞれ、なぜ自分が今の意見をもつに至ったのか、個人的なエピソードを紹介し合うと、互いに「そんな体験をしたら、私も賛成（反対）するようになったかも」と理解を示したという。

リクツを戦わせている間は、どちらも負けたとは言わず、堂々巡り。科学的論理的な意見のぶつかり合いでは、ただ無限に続く言い争いで終わってしまう。

しかしなぜ自分が中絶に賛成するようになったのか、あるいは反対するようになったのか、その個人的体験を共有すると、理解し合えるようになる。一見、科学的論理的なリクツの方が普遍的と考えられがち。個人的エピソードなんて主観的で客観性がないと思われがち。けれど、むしろ個人的な物語（ナラティブ）の方が、立場の違いを超えて人の心を打つ「普遍性」を示すというのは、実に興味深い。

理論で相手と対決する「関係性」ではわかり合えなかったのに、個人的な体験を共有する「関係性」に変えると、わかり合える。「関係性」をデザインし直すと、「あいつはこういうやつだから」と考え、決めつけていた「存在」が、親しみのもてる、理解可能な姿へと変わっていく。

これは、社会運動の話にとどまらない。私たちは、この世界の「存在」を理解しているつもりになっているけれど、実は「関係」を理解しているだけなのかもしれない。

たとえば私たちは鉄をどう理解しているだろう？　夏の日差しにさらされた鉄は火傷《やけど》しそうなほど熱い。冬は凍《い》てつくほど冷たい。包丁やトンカチなどに加工され、水や塩風にさらすとさびやすく、電気を通し、磁石にくっつく、などなど、鉄に関する性質を列挙することで、鉄という存在を理解した気になっている。

しかし、右に並べた説明を見てもわかるように、鉄と他のものとの「関係」ばかり列挙している。私たちは鉄と何かの「関係」でしか鉄を把握できない。「鉄」を理解するということは、鉄とその他のものとの「関係」を列挙することでしかない。

そう、私たちは「存在」なんていう言葉を作ってしまったものだから、「存在」そのものを把握できるような気がしているけれど、鉄に限らずどんな「存在」も、他のものとの「関係性」でしか把握できない。他のものとの関わり合いの中でしか、私たちは物事を把握できない。

これは、人間関係でも同じ。「あいつはああいうやつだ」と決めつけ、切り捨ててしまうことを私たちはよくやる。たとえば、「部下が指示待ち人間で困る」という上司の嘆きは、よく聞かれるグチだ。「自分の頭で少し考えたらわかりそうなものなのに、ちっとも考えない、考える能力がある人間というのは一握りなのだよ」と、自分を一握りの優秀な人間に数え、自分を慰めている上司の姿は、よく見かけるものだ。

しかし、部下が指示待ち人間になるのは、上司が用意した「関係性」が原因のことが多い。部下が自分で考え、工夫したことに対し「なんで勝手なことをした?!」「なんで俺の断りなしにこんなことをしたんだ?!」と怒鳴りつけたら、次からは自分で工夫なんかしてやるものか、指示されたこと以外は全部やらないでいてやる、とふてくされてしまう。自分で考えてやったことが叱られることになるものだから、自分で考えるのをやめてしまった可能性がある。

もし上司が、部下が自分で考えて工夫したことに対し「自分で考え、補おうとしてくれたこと、嬉しいよ。これからもそうして工夫してくれると助かる。ただ、この案件はこうしたことも配慮する必要があるので、次からはこうしてくれると助かる」と、工夫し考えたことについては感謝を述べ、これからもぜひそうしてくれと励ましつつ、ただ配慮の足りなかった点は伝えておく、という「関係性」をデザインすれば、部下は次からも恐れずに自分で考え、必要な留意点も踏まえたうえで行動してくれるだろう。

人の心は、水のようなものだと思う。丸い器に注《そそ》がれれば丸くなり、四角い器なら四角くなる。こちらの用意した「関係性」の形に、人間は変わるものなのかもしれない。

科学の理論も、「関係性」を変えるとガラリと変わることがある。たとえば鉄は、さびやすい金属として知られている。ところが99・9996%という超高純度の鉄になると、さびないし塩酸にも溶けなくなるという。鉄がさびやすかったのは「不純物が一定量含まれている場合」という前提があったわけだ。不純物との「関係性」でさびやすくなっていたのだろう。しかし不純物をほとんど含まない高純度の鉄だと、さびなくなる。性質が大きく変化してしまう。「関係性」を変えたら、別の理論が生み出されることになったわけだ。

カントやヘーゲルら哲学者は、「存在」を論じてきた。その歴史が長かったためか、私たちは「存在」そのものを把握できる気になってしまったのかもしれない。しかし、「関係性」でしか私たちはこの世界を認識できないと考えた方が、現実に近いだろう。

そして「関係性」を変えれば、人間も、そして物質さえも装いを変えてしまう。そのことをもっと意識すれば、私たちは人間関係をうまく構築し、科学のイノベーションももっと容易になるのではないか。

「存在」を問う前に、まずは「関係性」を問うのがよいのだろう。すると、「あいつはああいう存在だ」と決めつけていたのに、「あれ、こんな意外な一面が?」という発見につながるのかもしれない。

これまで「存在を私たちは把握できる」という思い込みをしてきたが、「関係性でしか把握できない」という新常識が示されたことは、今後、非常に面白いことになる予感がする。

2

東洋思想

再解釈を繰り返す思想

中国哲学・思想

中国古典

いかに知恵を汲みとるか

西洋の哲学・思想と違い、中国哲学や思想は「発展性」という感じがしない。『論語』や『老子』などの古典を絶対視して、後から生まれ育った人間はそこからいかに知恵を汲《く》みとるか、という形が主だ。古典を完全なものとみなし、神聖視して、後世の人間は先人から見たらどうしても見劣りする、という姿勢をとる。古典を批判し、古典を乗り越える、という発展的な姿勢に乏しい。

でもそれには理由がある。一つには、「説明がほぼない」こと。西洋哲学・思想の場合は、「これが正しいと思う、なぜなら……」と詳しく細かく論証しようとする。これは古典中の古典であるプラトンの頃からずっとそうで、実に説明的。けれど中国哲学・思想の場合、説明らしい説明がほとんどない。

「知らざるを知らずとなす。これ知るなり」とか、「天網恢恢《てんもうかいかい》、疎《そ》にして漏《も》らさず」とか、実に短い言葉を吐いて、全然説明しない。それをどう解釈するかは、読み手に任せている。「余白」がものすごく大きい。解釈の余地がものすごくあるから、後世の人間がそれぞれの立場で、それぞれの時代に合わせて解釈できる。中国古典は考えるヒントを提供するところに特化しているといえるかもしれない。

もう一つは、中国古典がひどく現実的だということ。西洋思想はしばしば、論理の上に論理を構築して、「思弁的」（経験の助けを借りず純理論的）と評されることが多い。プラトンの「イデア」論もそう。白い馬も黒い馬も大きな馬も小さな馬も、そうした個別性が全部抜け落ちた、純粋な「馬」というイデアが存在する、とプラトンは言う。でもどうも具体性がなくて、わかるようでわからない、リクツにリクツを重ねるのが好き。

しかし中国思想はひどく現実的。『韓非子《かんぴし》』などは典型的だ。「塀《へい》が壊れているよ」と息子と隣人がそれぞれ忠告してくれたけど、放っておいたら泥棒が入った。そしたら息子には「先見の明がある」とほめたのに対し、隣人には「あいつが泥棒じゃないか」と疑った、という話が載《の》っている。リクツではなく、人間ってのはそういうものなんだ、という現実を直視する。

このため、西洋哲学・思想のような発展的な歴史のとらえ方を、中国哲学・思想ではとることができない。私なりに、中国哲学・思想の代表的なものに絞《しぼ》って、そのさわりだけ紹介したいと思う。

中国哲学・思想

孔子

礼の力を思い知らせた男

孔子（紀元前552年頃〜紀元前479年）とその弟子たちのやりとりを記録した『論語』は、いろんな話題を提供していて、内容は多岐《たき》にわたる。だから「論語とはこういうものである」と端的に表現することが難しい。

弟子の子路《しろ》は自分の勇気に自信をもっていて、孔子にアピールしたら「死を恐れないのは蛮勇《ばんゆう》というものだ、そういう無鉄砲な人間とは一緒に行動できないな」と戒《いまし》めたりしている。別のところでは「私は十五歳で学ぶことを好むようになった」とか話したりしている。テーマが一様ではない。要するに、弟子たちがハッとさせられ、これはメモしとこうと思ったものが記録として残されたものだといえるだろう。

それはそれとして、孔子とその弟子たちが広めた考え方を「儒教《じゅきょう》」と呼ぶ。「礼」を特に重んじた学問として発展してきたのだが、一方で「儀礼的」とか「慇懃《いんぎん》無礼」といった言葉に表れているように、礼というのは表面的で、偽善的で、何の役にも立たない、という批判も結構ある。

それでも儒教は誕生してから2000年以上も中国を支配する思想であり続けた。なぜそんなにも儒教は支配力を示し続けることができたのだろう？

儒教が主張する「礼」の力を示したエピソードがある。秦《しん》王朝を滅ぼし、漢《かん》帝国を生み出した英雄、劉邦《りゅうほう》（紀元前256？／247？～紀元前195年）は儒教を信じる人（儒者）が大嫌いで有名だった。儒者の姿を見るだけで蹴《け》っ飛ばしたりしたらしい。何かにつけて「古代を見習え」と説教する儒者を、劉邦はものすごく嫌っていた。

他方、劉邦は皇帝になった後も悩みが尽きなかった。皇帝がいる宮殿だというのに、将軍たちが毎日のように刀を抜いてケンカしたからだ。みな、戦国時代を生き延びた荒くれ者ばかりだったから、特に平和でなければならないはずの宮殿でも、昔の武勇伝に花を咲かせているうちに、「俺の方が」「いや俺の方が」と自慢合戦になり、刀を抜き合う事件が毎日のように起きた。

そんなとき、叔孫通《しゅくそんとう》という儒者の一人が「私にお任せください」とうけ合い、皇帝がおでましになる儀式をとり仕切ることに。いつものように将軍たちがガヤガヤと騒いでいる中、楽器が鳴らされ、なんだなんだ？　とそちらに注意が向くと、「静粛《せいしゅく》に！」という声が。それでも騒ぐ将軍がいると、スタッフが部屋の外に連れ出すのを見て、「あ、騒いじゃいけないのか」と察し、みんな静かに。みなが整列する中、「皇帝陛下の、おなーりー」と高らかに声がかかり、楽器も鳴らされ、「礼！」と掛け声。みんなもまわりを見ながら、戸惑《とまど》いつつもおじぎ。そこでゆっくりと、皇帝である劉邦がおでまし。

いつもと違ってケンカも刃傷沙汰《にんじょうざた》も起きずに、静かに整列している将軍たちの様子を見た劉邦は「俺は初めて、皇帝が偉いのだと実感したよ」と言い、叔孫通をほめたといわれる（このエピソードは司馬遷『史記』に掲載されている）。

儒教は前の王朝である秦の始皇帝のとき、滅びかけた。「焚書坑儒《ふんしょこうじゅ》」といって、儒教に関する書物はすべて焼かれ、儒者たちは生き埋めにして殺された。

しかし生き延びた叔孫通が「礼」の力を劉邦に思い知らせたことで、儒教は復活のきっかけをつかむことになった。

ではなぜ、「礼」にそこまでの力があったのだろう？　皇帝の目の前でも刀を抜いてケンカするようなルール無用の将軍たちに、なぜ秩序だった行動をとらせることができたのだろう？

「礼」とは、人間の「察する力」「無言のルールを読みとる力」を巧みに刺激するテクニックだからだろう。

NHK Eテレの『オドモTV』という番組で、面白いパントマイムがあった。大人がフラフープをくぐると、そのまま停止してしまうというパフォーマンス。フラフープを引き上げるとまた動けるようになる、という様子を見せた。すると興味深いことに、一緒に登場していた女の子もフラフープをくぐると、停止してみせた。フラフープを逆にくぐると、再び動き出した。その様子を見た四歳くらいの女の子は、フラフープをくぐらされそうになったときに逃げ出した。くぐれば動けなくなってしまう、と恐くなったのだろう。

人間はこのように、幼い頃から、言葉でなくてもみんなの様子から「今、何が約束事になっているか」を察する能力を備えている。「礼」は、楽器の音色が人の耳目《じもく》を集める作用があるのを巧みに利用しながら、いちいち注意命令しなくても、今、何をしなきゃいけないのかを無理なく察知させ、「自発的に」そのように行動してしまうように仕向ける、群集制御の技術だといえるだろう。

孔子はこうした「礼」の力を、古代中国の王朝、周《しゅう》のシステムから学び、体系化した。礼はしばしば「虚礼《きょれい》」などといわれて批判され続けながらも、中国の中心思想であり続けたのは、この「礼」が備える力を思い知っているからだろう。

中国哲学・思想

老子・荘子

逆説的発想の強靱さ

私は大学生の頃、西洋思想の有名どころを一通り読んだのだけれど、違和感がひどかった。日本人の体形に合わない洋服を着せられたような、何とも落ち着かない感じ。次に『論語』を読んだのだけれど、「こりゃ年を取ってからでないと難しくてよくわかんないな」と思って、これまたしっくりこなかった。しかし『老子』を読んだとき、解毒剤を飲んだかのような不思議な落ち着きを覚えた。書いてあることは無茶苦茶なのだけれど。「天網恢恢《てんもうかいかい》、疎《そ》にして漏《も》らさず」なんて、論理的におかしい。天網は網目がすごく粗《あら》いのに漏らさない、なんて、矛盾もいいところ。でもなぜか実感にも合う気がするような、懐《なつ》かしいような感覚を覚えた。論理的な西洋哲学ではあり得ない話が満載。『老子』には「役に立たないことこそ役に立つのだ（無用の用）」という、これまた矛盾したおかしな表現がある。でも案外、こうした事例は身近にあるものだ。ものすごくテキパキ仕事ができる集団の中に一人だけ、のんびりして仕事ができない人がいて、もっと仕事のできる人間と入れ替えてみたら、集団全体がギスギスし始めて、崩壊してしまった、という事例。実は、何もしていないかに見えたのんびり人は、テキパキ人たちの心がカサつかないよう、潤《うるお》いを与える存在だったことに後で気がつく。無用と思われていたものがいかに有用だったか、ということに気づかされることって、実生活で非常に多い。

『老子』の面白いところは、「空虚のデザイン」という、非常にユニークな提案をしているところだろう。たとえば水に丸くなれ、四角くなれと命令してもそうはならず、殴《なぐ》っても蹴《け》っても飛び散るだけに終わるだろう。しかし丸い器、四角い器という「空虚」を用意すると、水は自発的に空虚を埋めようとし、丸くなり、四角くなる。

この空虚のデザインは、軍事関係者のバイブル、『孫子《そんし》』にもみえる。城攻めをする場合、完全包囲せずに必ず手薄な場所を作れ、という「囲師必闕《いしひっけつ》」と呼ばれる兵法だ。もし完全包囲してしまうと、城兵は逃げられないことを悟り、「どうせ逃げられないなら、徹底的に抵抗して死んでやる」と覚悟を固めてしまう。こうした城はなかなか落ちない。しかし包囲網に一カ所手薄なところを用意しておくと、「あそこから逃げられるかも」と城兵は気弱になる。そして実際、夜になるとその隙間から逃げ出す。こうして簡単に城を落とすことができる。

この城兵の動き、何かに似ていないだろうか。そう、「ダムにアリの一穴」（千丈《せんじょう》の堤《つつみ》もアリの一穴《いっけつ》より崩れる）だ。一カ所、アリの穴のような小さい穴でもあけば、その「虚」に向かって水が噴き出る。水は空虚を埋めようと動き出す。包囲された城兵が手薄な場所から逃げ出す様子は、水分子の動きとよく似ている。

こうした「空虚のデザイン」は、微生物の世界にも通じる。私は学生に次のようなクイズを出すことにしている。「ここに邪魔な木の切り株がある。これを微生物の力で取り除いてほしい」。大概の学生は「木の成分を分解する微生物を見つけて、それを切り株にぶっかければよいのではないか」と考える。こうした方法は実際に学会でも研究されていて、実施例もあるけれど、3日もすれば土着の微生物に駆逐されて、跡形《あとかた》もなく消えてしまう。

しかし次のような興味深い方法がある。切り株の周りに、炭素以外の成分をたっぷり含む肥料をまく。すると、切り株は3カ月ほどもすればボロボロに腐ってしまう。土着微生物の力によって。

なぜそんなことが起きるのだろうか。炭素以外の栄養をたっぷり含む肥料が大量にやってきたことで、土着微生物にとっては「あと炭素さえあればパラダイスなのに」という環境が生まれる。一種の炭素欠乏症に陥る。そんな中、炭素のカタマリとして存在するのが切り株。すると、土着微生物の中から切り株を分解し、炭素をとり出すのが得意な微生物が活躍する。その微生物に炭素以外の養分を運んでやる微生物たちも登場する。こうして土着微生物の生態系全体が、切り株を分解する方向に動き出す。

これは、炭素が足りないという欠乏、「空虚」を意図的に設《もう》けることで、その空虚を埋めようと微生物たちが動き出すように仕向けたものだ。空虚をデザインすると、群集というとりとめもなさそうな、制御が難しそうなものも、不思議と秩序だった動きをするように仕向けられる。

それと似た発想は、国家というサイズにもあてはまる。スーザン・ストレンジ（1923～1998年）の『国家の退場』という本には、2種類の権力の形が紹介されている。その一つ、関係的権力は、ボスが子分を恐怖で支配する形のもの。恐怖が伝わる人数しか支配できない限界がある。けれどももう一つの「構造的権力」の場合、「法律を守るなら仕事もできて給料ももらえて、平和に生活できますよ、法律を破れば牢屋《ろうや》に入って自由を奪われますよ、どちらを選ぶかはあなた次第」と、ルールという形で構造を示すものの、どうふるまうかは本人に任せてしまう。すると不思議なことに、ルールからはみ出る人はほとんど出ない。その構造の中で、空虚を埋めるように人々が行動する。1億人もの雑多な人々がいても、そのほとんどが与えられた構造の中で動く。

サッカーも「構造的権力」の一例だろう。サッカーはバレーボールやバスケットボールと違って、手を使っちゃいけないという不便極まりないルールが課されている。こうした不便なルールをみんなが嫌がるかと思いきや、多くの人々がサッカーを楽しむ。それも自発的に。手を使っちゃいけないという制限が、かえって「不器用なはずの足をいかに器用に動かすか」という課題を浮き彫りにし、その無限の可能性に気づかせるからだろう。

人間は、制限があると、その制限の中に面白そうな自由が確保されているなら、その制限という空虚を満たしたくなる生き物であるらしい。「不器用なはずの足を自由自在に動かしてみせる」という制限の中の無限の自由が、冒険心をくすぐるのだろう。

俳句の五・七・五や短歌の五・七・五・七・七も、文字数やリズムに制限を加えることで、その制限の中の無限の自由を遊ぶところがある。人間は制限を示されることで、その空虚をいかに自由自在に埋めてやろうか、と企《たくら》みたくなる衝動が生まれるらしい。この「空虚のデザイン」というのは、老荘思想の大きな特徴であり、斬新《ざんしん》さでもある。

無意識が身体を操縦する

ところで、私はスポーツが大変苦手だったのだけれど、『荘子』を読んでからかなりマシになったという不思議な体験をもつ。そのきっかけになったのが、包丁の語源ともなった中国の春秋戦国時代の伝説的料理人、庖丁《ほうてい》のエピソードだ。

庖丁は王様の前で牛一頭を丸ごとさばいてみせた。スパスパ見事に解体していく様子がまるで音楽で舞うかのようで、王様はすっかり魅了され、「さぞかしよく切れる包丁なのだろうな」と尋ねた。すると庖丁は次のように答えた。「普通の料理人は切ろうとします。このため、刃先がスジや骨に当たり、刃が欠けて切れなくなってしまい、しょっちゅう包丁を研ぐハメになります。私は切りません。牛を心の目でじっと観察し、スジとスジの隙《すき》間《ま》が見えたら、そこにそっと刃先を差し入れるだけです。隙間に刃を入れているだけだから、刃こぼれせずにハラリと身が離れます。包丁はもう何年も研いでいませんが、ますます切れ味がよくなっています」

これはW・ティモシー・ガルウェイの『新インナーゲーム』にも通じる考え方だろう。ガルウェイ氏がテニスの指導中、バックハンドが上手に打てるようになった生徒をほめたところ、その直後からホームラン（てんでバラバラの大飛球）ばかり打つようになった。「そうじゃない、さっき君はこうして振っていたよ」と打撃フォームを指導すると、動きはますますぎこちなくなり、生徒はどうしたらよいのかわからず、頭が真っ白に。

そこでガルウェイ氏は、指導の仕方を変えてみた。動き方を指導するのではなく、「ボールの縫い目を見て。スローモーションで見ているような感覚で」と生徒に伝えてみた。

すると、フォームの指導は一切していないのに、再び上手に打てるようになったという。

これは、「意識」と「無意識」の働きの違いをうまくとらえた指導法だ。腕をこう動かそう、足はこう運ぼう、などと「意識」すると、動きはぎこちなくなってしまう。身体の操縦権を意識が握ってしまうからだ。それでいて、意識は身体の操縦がヘタクソなのだから困ったもの。ところが「ボールの縫い目を見て」と伝えると、意識はボールの縫い目を見つめることに一所懸命となり、身体の操縦権を手放す。すると、無意識が身体の操縦権をとり戻し、円滑に動かす。無意識は同時並行的に複雑な動きを調整するのが上手。ガルウェイ氏の指導は、ボールの縫い目に意識をそらさせることで、身体の操縦権を無意識にとり戻させる工夫なのだろう。

ここで庖丁の話に戻すと、普通の料理人は「牛の骨はここにあるはずである」と意識して考えてしまい、想像上の牛の骨格に囚《とら》われて、目の前の牛を観察できなくなり、それで刃先が骨やスジに当たってしまうのだろう。しかし庖丁は、心に変なイメージをもたず、目の前の牛を虚心坦懐《きょしんたんかい》に眺めて、五感総動員で感じとろうとするうち、無意識が「ここにスジとスジの隙間がありそう」というのを教えてくれる。包丁の刃先から伝わる感触などにも静かに耳を傾けながら動かすから、無理なくさばくことができるのだろう。

私は小さい頃から不器用で、運動するときも身体の動きがぎこちなかった。自分の不器用さを自覚しているだけに、ああ動け、こう動けと「意識」が身体に命令していた。しかし意識は身体の操縦がヘタクソ。そのために無様《ぶざま》な動きになっていた。そのことに、「庖丁」の物語は気づかせてくれた。

そこで、意識は目の前の現象を観察することに特化させ、身体の操縦は無意識に委《ゆだ》ねてみた。ああ動かそう、こう動かそうなどとは考えずに、無意識が学習しやすいよう、失敗も楽しみながら試行錯誤を繰り返した。すると、勝手に身体の動きは補正され、うまく動かせるように。ボウリングは平均100いかなかったのが、150を超えるように。かすりもしなかった野球のバットが、ボールをとらえるようになった。

「庖丁」のエピソードは、様々な武術に通じる極意でもある。オイゲン・ヘルゲル（1884〜1955年）の『日本の弓術』では、弓道の師匠《ししょう》から「弓を引くのに力を入れるな」「射るときは的《まと》を狙うな」と、全くの矛盾としか思えないような指導をされて驚いた話が掲載《けいさい》されている。弓の弦《つる》は非常に張りが強く、引くにはかなりの力がいる。的はそもそも狙わなければ当たるはずがない。なのに、師匠が弓を引くと、二の腕の筋肉はたるんたるんに緩《ゆる》んでいる。真っ暗で何も見えない暗闇《くらやみ》の中で射ると、ど真ん中に矢が刺さっている。そうした驚愕《きょうがく》のエピソードを、論理的に考えずにはいられないドイツ人の著者が、なんとか理解しようと悪戦苦闘しているのが面白い。日本の弓術は禅と深い関係があるが、禅は老荘思想から強い影響を受けているといわれる。老荘思想の、一見矛盾めいた発想が導入されているのは、このためだろう。

いわゆる老荘思想は逆説に満ちた話が満載。中でも私にとって強く印象に残っているのは、『荘子』の翻訳者、福永光司《みつじ》氏が中公新書『荘子』の「あとがき」に書いているエピソードだ。

福永氏は子どもの頃、母親から「あの公園の曲がりくねった木をまっすぐ見るには？」というなぞをかけられた。その木は実に曲がりくねっていて、どの角度から見てもまっすぐには見えなかった。切って加工したらまっすぐになる、という話でもなさそうだし……。悩んだ末、降参した福永少年に対して、母親の答えは「そのまま眺めればいい」。

私たちは「まっすぐ」という言葉を聞いた途端、まっすぐとはこういうものであるというモノサシ、価値規準を心の中に抱いてしまう。そうした価値規準に当てはめると、すべてはまっすぐか曲がっているかでしか評価できなくなる。

しかしいったんそうした価値規準を脇《わき》に置き、目の前の木を虚心坦懐《きょしんたんかい》に観察したら。力強い根っこだなあ。樹皮が分厚いな。虫たちが樹液を吸いに集まっている。風で葉が音を立てている。木漏れ日が気持ちいい。いいにおいがするなあ。などなど、五感を通じて、膨大な情報が入ってくる。

そう、母親の「まっすぐ見る」とは、「素直に眺《なが》める」という意味だったのだろう。

このエピソードは、私の物事の眺め方を劇的に変えることになった。私はそれまで、既存の知識で物事を料理してしまっていた。心の中の価値規準で良い・悪い、まっすぐ・曲がっているを判断していた。しかしそのために、目の前の現象から汲みとれるはずの膨大な情報が遮断され、価値規準通りかそうでないかの情報しか汲みとれなくなってしまっていた。

それから私は、物事を観察するのに、前もって価値規準を持ち込むのをやめた。虚心坦懐に眺め、目の前の対象が訴えかけてくるものに耳を傾けるようになった。すると、かつては汲み取れなかった膨大な情報が、五感を通じて飛び込んでくるようになった。

モンテーニュの『随想録』に並んで、私の生涯を大きく変えたのが、老荘思想だ。何に影響を受けるかは人それぞれだが、私の場合、あまりにも価値規準に囚《とら》われがちな人間だったから、余計に衝撃だったのだろう。

自分の不器用さで苦しんでいる方は、老荘思想を読まれるとよいかもしれない。拙著『思想の枠を超える』（日本実業出版社）をガイドブックとして（笑）。

追記　老子（老聃《ろうたん》）は紀元前6世紀、荘子（荘周《そうしゅう》）は紀元前369年頃〜紀元前286年頃の人物とされている。

中国哲学・思想

韓非子

「法」の力を見せつけた男

古代中国は夏《か》（紀元前2070年頃〜紀元前1600年頃）、殷《いん》（紀元前17世紀頃〜紀元前1046年）、周《しゅう》（紀元前1046〜紀元前771年）と政権が移り変わったが、周の時代も後半になると春秋戦国時代と呼ばれ、家臣であったはずの国々が勝手に王を名乗り、周は有名無実化していった。その中で勢力を強めていったのが、西の果てに位置した秦《しん》（紀元前8世紀頃〜紀元前206年）だった。

そのほかの国々は王族・貴族の力が強く、法律はあってないようなものだった。貴族がこうしたいと思えば、それがいくら理不尽なものであっても庶民は泣き寝入りするしかない、そんなことがたびたび起きていた。しかしそれだと、庶民はいつ貴族の気まぐれで財産を没収されるか知れやしない。

それではいけないと考え、ルールを重視した人たちが現れた。管仲《かんちゅう》（?〜紀元前64

5年）は斉《せい》の国でルールを明確にし、商売や産業が盛んになるようにつとめた。財産を気まぐれで没収されたり、突然税を取り立てられたりする理不尽《りふじん》がなくなった斉では、商人が安心して商売ができるようになり、経済が発展した。鄭《てい》の国の子産《しさん》（?〜紀元前522年）という人物は、法律を青銅製の鼎《かなえ》に鋳込《いこ》んで、中国で初めての文字の法律（成文法）を作った。古代中国では、貴族や王族は「礼」で縛り、庶民を刑罰で縛るという区別をしてきたが、いよいよ貴族にも刑罰を科する法が成立した。そのことに孔子は衝撃を受けた、という話が残されている。

そうした法の支配を徹底したのが、秦だった。商鞅《しょうおう》（紀元前390〜紀元前338年）という人物が秦に法律を導入しようとした際、簡単にはいかないだろうと考え、一つ工夫をした。「この木を指定の場所に移したら大金を与える」と書いた立札を用意した。みんな半信半疑で動かそうとしない。ある男がものは試しに、と指定の場所に木を移してみると、本当に大金をもらえた。「いちど出したルールは、国のトップの人間も必ず守る」ということがこれで伝わり、法律通りに国のシステムが動き出した。ただ、商鞅は貴族たちにも法律を課したため、恨みを買い、最後は殺された。しかし商鞅が作り上げた「君主以外の人間は貴族といえどルールに従わなければならない」という法律の仕組みは、秦でしっかり根づくことになった。

その完成者ともいえるのが、韓非《かんぴ》（紀元前280年頃～紀元前233年）だった。その著作『韓非子』の恐ろしさは、人間という生き物の性質をよく見極めたうえで法律を定めようとした点にある。

すでに紹介したエピソードだが、塀《へい》が壊れて「このままだと泥棒が入るよ」と、息子も隣人も忠告した。その忠告を無視していたら、本当に泥棒に入られた。父親は息子のことを「先見の明がある」とほめ、隣人に対しては「あいつが泥棒したんじゃないか」と疑った、という話が『韓非子』には紹介されている。立場が違えばほめたくなったり疑いたくなったり、反応が違ってしまうという人間心理をうまく描いている。

『韓非子』には、次のような説話も入っている。ある日、ウサギが全速力で逃げていたら木の切り株に激突して死に、農夫はウサギをせしめることができた。その日以来、その農夫は切り株のそばで同じ出来事が起きるのを待つようになり、田畑は荒れ果ててしまった、というお話。このエピソードから「守株《しゅしゅ》」という言葉まで生まれた。たまたまうまくいった成功体験を根拠にして、やり方を改めようとしない保守的な人間を皮肉り、批判するエピソードだ。

ほかにも「箕子《きし》の憂《うれ》い」というエピソードも紹介されている。のちに悪王として歴史に残る殷《いん》の紂王《ちゅうおう》（?～紀元前1100年頃）は若い頃、非常に賢い名君として知られていた。しかしある日、象牙《ぞうげ》の箸《はし》で食事をとるようになった。それを見た家臣の箕子は、殷の滅亡を予言したという。「象牙の箸を使うようになれば、食器もぜいたくしたくなる。すると テーブルも、部屋も、宮殿も、庭園も、と、欲望は無限に広がっていく。そのために重税がかけられるようになり、やがて国は滅ぶことになるだろう」と。そして事実その通りに、紂王は国を滅ぼすことになった。

韓非は、普通の人なら見過ごすようなこと、「え、そんなこと？」と思うようなささいな差異にも、人間の真意が隠されていることを見抜き、人間という生き物の性質を知り尽くしたうえで法律を定めるべきだと説いた。この主張に秦王はいたく感動し、法律を整備していくことになった。秦では、庶民でも功績を挙《あ》げれば出世することができる。これに刺激された秦の兵士は他国を圧倒する強さを見せ、ついに中国を統一、秦王は始皇帝を名乗るまでになった。

法律の力をまざまざと見せつけた秦だが、統一後は法律のせいで滅ぶという皮肉な結果をもたらした。中国統一後、秦は法律をどんどん細かく設定していった。そのため、ちょっとしたことで法律違反になり、奴隷《どれい》となって、始皇帝の宮殿や墓を造らされるなどの重労働を強いられた。場合によっては処刑された。

あまりにも細かすぎ、守りきれないほど厳しくなった法律に、ついに反逆の狼煙《のろし》が上がった。陳勝という人物が人夫を目的地に連れていく役目を果たそうとしたものの、大雨で期日までに目的地に到着できなくなってしまった。1日でも遅れれば死刑。そこで陳勝はやってられるか！　と反乱を起こした。このとき、あの「王侯将相いずくんぞ種あらんや」（王様貴族将軍大臣とかいったって、俺たち庶民と違うもんか！）という有名な言葉を残している。

陳勝・呉広《ごこう》から始まった反乱は国全体に広がり、やがて秦は滅んだ。細かすぎる法律に不満をもっていた人々がそれだけ多かったということだろう。

反乱軍の一つを率いていた劉邦は、秦の首都を占領したとき、法律を三つだけに絞《しぼ》った（人を殺したら死刑、人を傷つけたり物を盗んだりしたら程度に合わせて罰《ばっ》する、とした「法三章」）。これに当時の庶民は大感激！　のちに劉邦が中国を統一する原動力になった。漢帝国による統一後、法律を最小限にし、法律の中での自由度をできるだけ大きくした。老荘思想のところで紹介した「制限の中の無限の自由」を確保した格好だ。前漢・後漢あわせて約400年も繁栄した。

韓非は確かに人間をよく研究し、法律を巧みに作り上げる力となった。しかし、細かすぎれば人間は法律の中で窒息する。秦帝国は法律が細かすぎて滅び、漢帝国は法律がおらかなために繁栄した。それを考えると、『韓非子』は法律の力を示したものの、法律の中の自由をいかに確保するか、という視点が欠けていたのかもしれない。『韓非子』と老荘思想をうまく組み合わせることで、漢帝国は巧みにバランスをとったということなのだろう。

法律と自由の関係は、現代に生きる私たちにとっても重要なテーマだ。ジョン・スチュアート・ミル（1806〜1873年）の『自由論』では、自由を「政府の口出しがないこと」と定義している。自由は英語でfreeだが、freeは「料金がかからない」など、「ない」を意味する言葉でもある。つまり、政府の介入が「ない」ことが、自由の定義になっている。政府の関与の「ない」こと（＝空虚）を、ミルもデザインすることが大切だと述べていることになる。

『韓非子』＋『老子』の「空虚のデザイン」＝ミルの『自由論』になるということなのかもしれない。

中国哲学・思想

司馬遷『史記』

歴史で人間を描く

司馬遷《しばせん》（紀元前145？／135？〜紀元前87年頃）の『史記』は、世界の歴史書の中でも「人間」をこれでもかと描ききっているという点で、とてつもない迫力をもっている。一人ずつに焦点を当ててその人生を描くという点では古代ローマのプルタルコス（50年頃〜120年頃）の『プルターク英雄伝』に似ている。ただ、司馬遷自身が味わったすさまじい体験が背景にある点で、『史記』からは凄《すご》みを感じてしまう。

司馬遷は北方の異民族（匈奴《きょうど》）に攻め入った将軍をただ一人弁護し、そのことで時の皇帝（武帝）の怒りを買い、男性のシンボルを失う屈辱的な刑（腐刑《ふけい》）を受けた。その屈辱のあまり、死ぬことも考えたが、父の世代から書き続けられた『史記』を完成させるまでは死ぬわけにいかないと考え、生きることを選択した。

漢王朝の家臣であるならば、その初代皇帝である劉邦の悪口は恐くて書けないのが普通だろうが、司馬遷は劉邦の裏も表もみんな描ききってしまう。劉邦が女好きで粗暴な性格であったことも包み隠さず歴史に刻印してしまう。項羽《こうう》軍に追いつかれそうになったとき、自分の子どもたちを馬車から落として逃げようとした話も掲載している。よくこんなことを記録できたものだと思う。

かといって自分の受けた恨《うら》みをそれで晴らそうとしているわけではない。自分に刑を加えた武帝の優れた面も評価している。自分の憎む相手でも賞賛するところは賞賛する、尊敬している人物でも手放しでは礼賛しない、という姿勢が徹底している。「歴史を描ききってやる」という覚悟がすさまじい。

なぜこうした覚悟をもてたのか。当時、歴史を記録に残す史官という役職に就《つ》く人は、天の言葉を記すのだという誇りをもっていた。文字を書ける人自体が少なく、しかも紙が発明されていない時代、竹片（竹簡《ちくかん》）に書くというひどく手間のかかる方法で記録していた。そんなことができる人間は限られていたから、よけいに聖なる仕事として誇りを持っていたのだろう。

司馬遷ではないが、史官の覚悟ぶりを示すエピソードがある。斉という国の実力者だった崔杼《さいちょ》が、主君である荘公《そうこう》を殺した。で、その事実を史官が記録した。「崔杼が主君を殺した（崔杼弑君《さいちょしいくん》）」と。そのことを知った崔杼は史官を殺した。するとその弟が「崔杼が主君を殺した」と記録した。崔杼は怒って、この弟も殺した。するとさらにその次の弟も「崔杼が主君を殺した」と記録した。史官の覚悟ぶりを痛感した崔杼は、殺すことを諦めた。史官兄弟が崔杼によって殺されたという話を聞いた地方の史官が、「崔杼が主君を殺した」と記録した竹簡を持参したところ、もうすでに記録されたと聞いて戻った、という話がある。史官の兄弟も、地方の史官も、歴史を記録するということにかけて、すさまじいまでの信念をもっていたことがうかがえる。

司馬遷も、歴史を記録するということの重み、凄《すご》みということを覚悟していたのだろう。『史記』には実に魅力的な人間が多数登場する。春秋戦国時代は、特に様々な事件が起き、魅力に富む。『史記』からは、様々な教訓を得ることができる。その後生まれ育った人間にどれだけ大きな影響を与えたか、その影響力は計り知れない。様々なロールモデルを提示した司馬遷の功績は、非常に大きなものといえるだろう。

中国哲学・思想

陽明学

リクツより実行

中国で儒教が支配的な思想になったことはすでに述べたが、どうしてもリクツっぽい面があった。朱熹《しゅき》（1130〜1200年）が儒教中興の祖として再度学問を体系立てたけれど（朱子学）、体系的なだけにリクツっぽく、行動が伴わない側面が強まった。もともと儒教は、劉邦が「偉そうにする割に行動が伴わない」として嫌っていたことからもうかがえるように、リクツ先行、行動はイマイチ、という弱点があった。劉邦の下で働いていた儒者の叔孫通《しゆくそんとう》は、弟子を100人も抱えていたけれど、劉邦に弟子を推薦することはなく、強盗の類《たぐい》を推挙していた。戦闘において儒者は役に立たないことをよく承知していたからだ。儒者が力を発揮するのは平和な時代の、リクツが通じる状況になってからだと叔孫通も考えていたようだ。

このように、イマイチ現実対応能力が低い従来の儒教を見直したのが、明《みん》の王陽明《おうようめい》（1

472〜1529年）だ。王陽明は書物の中に答えを求めるのではなく、現実を観察し、そこから答えを見出す現実主義の立場をとった。

これまでの儒者は、知識はたくさんあるけれど行動が伴わなかった。これを批判し、知識と行動が一致する「知行合一《ちこうごういつ》」を重視した。朱熹の唱えた朱子学が古い書物を神聖視したのに対し、王陽明は現実そのものから学ぶことを重視した。こうした現実主義な性格があったためか、王陽明自身が大変優れた武将で、三つの大きな軍事的成果（三征《さんせい》）を挙げている。

陽明学は行動を重視する人物たちに大きな影響を与えた。日本だと、飢饉《ききん》で苦しむ民衆を助けるために反乱を起こした大塩平八郎（1793〜1837年）は、当時陽明学者として有名な一人だった。幕末の志士たちに大きな影響を与えた佐藤一斎《いっさい》（1772〜1859年）も陽明学を学んでいる。佐藤一斎は明治維新の立役者である西郷隆盛（1828〜1877年）に大きな影響を与えており、西郷は佐藤の『言志四録《げんししろく》』を愛読していたことで知られている。

混迷を深める幕末の日本に、志士たちが活躍し、明治維新を成功させた背景には、陽明学という現実主義的な思想が助けになったことも大きかったといえるだろう。

3

最後に

現代の常識を イノベートするために

ここまで、様々な哲学者や思想家が、その時代時代の常識を破り、新たな常識を生み出してきたのを見てきた。もちろん、本書で紹介したのはそうした人たちのごく一部にすぎない。

本書の狙《ねら》いは、私たち自身が「常識破り」をし、新たな「常識」を創造することにある。そのための作法、コツを先人から学びとろうというものだ。私たちはどんな常識に囚《とら》われているのか、その問題点をどう把握すればよいのか、新たな常識はどう創造すればよいのか。それぞれの人物になったつもりで、「自分だったらどうしただろう？　どうすれば自分もその時代に新たな常識を創り出せただろうか？」と考えてみていただきたい。

現代に生きる私たちが克服しなければならない常識が、思いつくだけでも3つあるように思う。エネルギー、お金、労働だ。

エネルギーについては、デカルトのところでも少し触れたが、常識が大きく覆《くつがえ》されようとしている。第二次大戦前後から、石油が私たちにとって主要なエネルギーとなった。

石油エネルギーは私たちの生活を大きく変えた。好きなところに旅行に行けるのも、石油で動く飛行機や船、自動車のおかげだ。私たちがぜいたくな食事ができるのも、石油など化石燃料のエネルギーで化学肥料を製造し、それで大量の食料を生産するようになったからだ。安定的に食料を生産できるようになったのは、化学農薬を石油から合成するようになったからだ。私たちは、石油の恩恵にあずかって生きてきた。それを常識、当たり前として生きてきた。

しかし、いよいよその常識は成り立たなくなりつつある。地球温暖化の問題もあるが、何より石油が採れづらくなっている。前述した通り、中東で石油を採り始めた頃は、噴水のように噴き上げていたので、石油を採るのに1のエネルギーを投入したら、その200倍の石油が採れた。しかし今は10倍を切るようになった。シェールオイルの場合、水を高圧で地中に注入して石油を搾り出す必要があり、かなりのエネルギー消耗があるからだ。この倍率が3倍を切ると、エネルギー的に赤字になってしまうという。石油をガソリンなどに加工するためにエネルギーが余分に必要だからだ。

エネルギー的に赤字になってしまう「3」の数字に、どんどん近づいている。エネルギーとして意味のある石油が採れなくなる。そんな時代が迫っている。

日本の場合、1キロカロリーの食料を作るために2・79キロカロリーの石油エネルギーを消耗している。これは日本だけでなく、アメリカなど農業国でも似たような状況だ。だとすれば、石油がエネルギーとして使えなくなった場合、果たして地球の人口80億人を養えるのかわからない。カナダの研究者バーツラフ・スミルは、化学肥料を使わなければ30〜40億人を養うのが精いっぱいだと試算している。

石油をエネルギーとして使えなくなっても、全人類を養うにはどうしたらよいのか。私たちは、「新常識」を創り出すことが求められている。

「お金」についても、そろそろ新常識を生み出す必要に迫られているように思う。現在のお金は金利がつき、しかも「信用創造」などのカラクリもあって、どんどん増殖していく。しかしこの世界に存在するあらゆるものは、劣化していく。石油は燃やせば失われるし、プラスチック製品も金属製品も、いずれは壊れて失われてしまう。この世にあるものは、すべて劣化し、失われていく。なのにお金だけは増殖する。1万円は1万円の額面のままで。このズレが、いよいよ無視できないものになっている。

これまでなぜこのズレをごまかせてきたか。石油などの化石エネルギーが無尽蔵に存在するという前提で、お金が増殖する（＝経済成長する）のに合わせて、エネルギーをバンバン浪費すればよい、と考えてきたからだ。しかし石油は採れなくなり始めた。物質的な豊かさを求め続けたら、地球がもたなくなる。資源やエネルギーの浪費《ろうひ》を抑えなければならない。

なのに、お金は増殖し続けている。増殖したお金は、「さあ、これでもっとたくさんの資源やエネルギーをもってこい」と要求せずにいられない。このズレ、ギャップが、地球環境問題の解決を難しくしている。

フレデリック・ソディ（1877～1956年）は放射性元素の研究でノーベル化学賞を受賞した研究者だが、お金が無限に増殖し、石油などエネルギーが有限であることのズレの問題に気がつき、経済学者に転身した。地球は有限であるという現実に立った経済学の創始を目指したが、当時の経済学者たちからは「非現実的」とみなされた。しかし、果たして非現実的なのはどちらの方なのか、考えてみる値打ちはあるだろう。

シルビオ・ゲゼル（1862～1930年）は、お金が無限に増殖し続けることを問題視し、「腐《くさ》るお金」を提案した。あらゆる物質は時間が経過すると劣化し、壊れたり失われたりするように、お金も時間が経てば経つほど価値を減らしていくようにデザインすることを提案した。

この提案は実行に移されたことがある。オーストラリアのヴェルグルという町で「腐るお金」が発行された。一定の日数が経つと、お金を払ってスタンプを押してもらわないとお金の値打ちがなくなるというデザインがなされた。すると、みんなスタンプ料を払いたくないものだからさっさとこのお金を使おうとし、いろんなものが売れた。そのため、ヴェルグルの経済は一気に好転した。世界恐慌のさなかに行われたこの社会実験は「ヴェルグルの奇跡」(1932〜1933年)と呼ばれている。

お金の発行量を、「今年使ってかまわないエネルギーの量」に設定し、そのお金を「腐るお金」として発行すれば、使用されるエネルギーの総量を抑えながら、経済を活性化させるということは可能なのではないか。こうした「新常識」を考えてみるのは面白いだろう。

ただ、「デファクトスタンダード(事実上の標準)」の問題がある。パソコンのキーボードの配列は、タイプライターの時代から変わっていない。いちど慣れてしまったキーの配列を変えてしまうと慣れるのに時間がかかって嫌がられるので、いまだにキーボードの配列は変わっていない。お金も同様で、「増殖するお金」がデファクトスタンダードとなっていて、それを前提に経済のあらゆるシステムが組まれているから、容易に変更することができない。

しかし、スマホが登場し、フリック入力という新たな文字入力法ができ、今ではしゃべって文字起こしする機能も生まれた。キーボードを使わない文字入力法が出てきたことで、いよいよ「デファクトスタンダード」を切り崩すことができそうな時代が来ている。だとしたらお金も、「増殖するお金」が支配する社会の片隅で、「腐るお金」をスタートさせても面白いのかもしれない。それが破壊的イノベーションを生む可能性もある。

三つ目の常識が、労働だ。私たちは働かなければお金はもらえない、という常識の中で生きてきた。しかしその常識が崩れ去ろうとしている。よくいわれるように、人工知能の発達で、多くの仕事が失われる、と恐れられている。知的労働であるＩＴ技術者でさえ、ChatGPTのような人工知能が出てきたことで、仕事を失いかねないといわれている。人工知能によって仕事を失った多くの人たちは、どうやって生活すればよいのだろう？　投資でお金を儲けるには、かなりのお金持ちでないとできない。貯金もない庶民はどうやって生きていけばよいのだろう？

ここで少し考えてみよう。もし全人類を養うのに十分な食料が生産されていて、それを全人類にくまなく配る方法があるなら、誰も飢えずに済むはずだ。つまり農家と運送業者が働きさえすれば、なんならほかの人たちは仕事をしなくても食べられる、ということになる。

もちろん、社会を維持するには、水道やガスなどの生活インフラを支える仕事も必要だし、農家にトラクターや肥料を提供するメーカーも必要、運送業が使用するトラックを製造するメーカーも必要。病気になったら医者も必要。そうしたエッセンシャルな仕事の労働者さえ確保できるなら、誰も飢えずに生きていけるということになる。

だとすると、「働かなければ給料をもらえない」という常識を、私たちは考え直す時期に来ているのかもしれない。働くことはこれまで義務だった。けれどもしかしたら、「権利」ととらえ直した方がよいのかもしれない。農家や運送業、介護や保育といったエッセンシャルワーカーになれるのは選ばれし人だけの「権利」とし、その人たちは余分の報酬がもらえる、「働く権利」をゲットできなかった人は、生きていけるけれど働く人ほどではないお金が分配される、という社会。こうした社会なら、みんな働きたがるのではないだろうか。私も働けるエリートになりたい！　と。

エネルギー、お金、労働。この三つの常識はあまりに強固で、私たちは今までのあり方に疑問をもつことすら難しかった。難しかったが、この三つの常識は、すでに揺らぎ始めている。それに多くの人たちが気づいている。では、次の時代にふさわしい新常識はどのようにデザインすればよいのか？　それはぜひ、本書をお読みのみなさんで考え、提案していただきたい。

あとがき

私は読書家としては、あまり量が読めていない。哲学や思想を語るなら、もっとたくさんの哲学書や思想書を読みこなすべきだろうが、私にはその力はない。その力はないのに、よくもまあ哲学や思想の歴史（社会思想史）を書こうと思ったものだ。身の程《ほど》知らずとはこのことだ。

ただ、哲学や思想を学ぶことは本来、とても面白いし、世界を眺《なが》める解像度が一気に上がる快感がある。その楽しさを多くの人に味わっていただきたいと考えていた。しかし哲学・思想となると、なぜか小難しい言葉がたくさん出てくる。それをなんとか読みこなした読者も、専門用語をありがたがるようになって、自分も小難しい言葉を使って自慢する、そんな道具に成り下がっていることが多い。

私が目指したのは哲学・思想の『びじゅチューン！』だ。『びじゅチューン！』とは、NHK Eテレで放送されている、美術を短いアニメーションで紹介する番組。いろんな芸術作品を紹介しているのだけど、おちょくっているようにしか思えない。たとえば「オフィーリア」という絵画。シェイクスピアの戯曲『ハムレット』に登場する悲劇の人物を描いたもので、普通はその文学的価値とか絵画の技巧をマジメに語るものだろう。しかし『びじゅチューン!』では、オフィーリアが背泳の選手となり、イルカと競争するというストーリーが展開される。「姫路城」の回では、なぜか姫路城が男の子と初めてデートする嬉し恥ずかしい女の子になっているという内容。おちょくっているとしか思えない。こんなの放送したら美術界の重鎮たちが怒り心頭なのではないかと思いきや、美術館に足を運ぶ子どもたちが増え、それをきっかけに様々な芸術作品に興味を示すようになったので、大歓迎らしい。

それに似た話で、「刀剣女子」が一時話題になった。歴史上の名刀をイケメン男性に擬人化したゲームがきっかけで若い女性が刀剣に興味をもち、展覧会に顔を出すようになったそうだ。

そう、興味さえ湧けば、関心さえもてば、あとは自ら学びだす。楽しみだす。『びじゅチューン!』という番組は、私にそのことを気づかせてくれた。

本書はあいにく、『びじゅチューン!』のように笑えるものには仕立てられなかった。大阪で生まれ育った人間なのに、笑いのセンスが私にはない。悲しい。でも、私は私なりのやり方で、哲学や思想の面白さを紹介したかった。そのための切り口が、「常識破りの作法」だった。

哲学や思想は、その時代時代の常識を破り、新常識を創ってきた歴史がある。その視点でみると、哲学や思想はごっつオモロイものになる。私自身、それにハマって様々な書籍を読んできた。そんな視点があることをもっと多くの人に気づいてもらえたら、楽しんでもらえるのではないか、と考えた。果たしてそのきとが成功しているかどうかは、読者のみなさんのご感想次第。

「まずは面白く興味深く」という視点を提供してくれたのは、私の妻だ。X（旧ツイッター）ではYouMeさんと呼んでいるので、ここでもそう呼ぶことにしたい。『びじゅチューン！』というとんでもない番組の存在を教えてくれたのも、YouMeさんだった。YouMeさんと出会っていなければ、こんな本を書こうと思わなかったかもしれない。笑いのセンスはYouMeさんの方がはるかにあり、私はうらやましくて仕方ない。本書もYouMeさんに書いてもらったら、さぞかし面白くなったかもしれない。

本書の内容は、一言でいえば「社会思想史」ということになるだろう。私自身、哲学や思想の学び方を『社会思想史概論』（岩波書店）という本から学んだ。だから、その本を読めば本書を読む必要はないといえる。ただ、お堅《かた》い題名から察せられるように、言葉が難しい。学び始めの人間に読めというのは酷《こく》な内容だ。本書は、哲学・思想の本なんか読んだことない、という人に、少しでも読みやすいものをと思って企画した。

私には2人の子どもがいる。子どもたちが、これからも楽しく生きていける世界を残していきたい。そのためには、私たち大人の世代がこれまでの常識を打ち破り、新たな常識を打ち立てる必要がある。そして子どもたちの世代は再び新たな常識を創り出す。こうした「アップデート」を続ける社会をデザインする必要がある。

本書は、社会というのはアップデートされるべきものであり、哲学者や思想家は、まさにそれを目指してきた人たちなのだ、ということを知っていただくために書いた。そして、社会をアップデートするというのは、実に楽しい作業だ。

今の時代は、哲学者や思想家でなくても、意見を発信できるSNSなどの手段がたくさんある。「王様は裸じゃないか」という子どものつぶやきが、裸の王様だけでなく大人たちみんなの度肝《どぎも》を抜いた話と同じように、私たちのほんのちょっとした一言が気づきとなり、それが世界を変革するきっかけになるかもしれない。

だから、「世界のアップデート」を、ぜひ一般の方々も心の片隅《かたすみ》に意識として残していただきたい。そしてふと、気づきが得られたらそれをつぶやいていただきたい。そのつぶやきがさざ波となり、全体に波及して、世界を変える一つの転換点になるかもしれない。

そんな奇跡が、次世代の子どもたちが楽しく生きられる社会へとつながっていきますように。そんな願いを込めながら、筆をおくことにしたい。

最後になったが、本書は「どうせ書くなら次は哲学の本を書きたい」という私のわがままを、編集者の松政治仁氏が聞き届けてくださったからこそ実現した。3冊目、4冊目の本を書くときも「哲学の本を書きたい」と言ったら編集者に断られたので、本書が出るのは奇跡的だといえる。貴重な機会をいただけたことを、ここで感謝申し上げたい。また、本書の大部分は義父母の家に泊まり込んで執筆したものだ。子どもたちの面倒を見てくれる義父母の援《たす》けがなければ、難しかった。末尾ながら、深く感謝を述べたい。

2024年1月

篠原 信

主要参考文献

高島善哉・水田洋・平田清明『社会思想史概論』岩波書店

関嘉彦『社会思想史十講』有信堂高文社

クセノフォーン『ソークラテースの思い出』佐々木理訳、岩波文庫

F・M・コーンフォード『ソクラテス以前以後』山田道夫訳、岩波文庫

田中美知太郎『ソクラテス』岩波新書

山本光雄『ソクラテスの死』角川文庫

プラトン『ソクラテスの弁明　クリトン』久保勉訳、岩波文庫

プラトーン『ソークラテースの弁明・クリトーン・パイドーン』田中美知太郎・池田美恵訳、新潮文庫

プラトン『メノン』藤沢令夫訳、岩波文庫

プラトン『プロタゴラス』藤沢令夫訳、岩波文庫

プラトン『ゴルギアス』加来彰俊訳、岩波文庫

プラトン『パイドン』岩田靖夫訳、岩波文庫

プラトン『パイドロス』藤沢令夫訳、岩波文庫

プラトン『テアイテトス』田中美知太郎訳、岩波文庫

プラトン『饗宴』久保勉訳、岩波文庫

プラトン『国家』藤沢令夫訳、上・下、岩波文庫

斎藤忍随『プラトン』岩波新書

佐々木毅『プラトンの呪縛』講談社学術文庫

トマス・モア『ユートピア』平井正穂訳、岩波文庫

アリストテレス『ニコマコス倫理学』高田三郎訳、上・下、岩波文庫

アリストテレス『弁論術』戸塚七郎訳、岩波文庫

アリストテレス『形而上学』出隆訳、上・下、岩波文庫

山本光雄『アリストテレス』岩波新書

モンタネッリ『ローマの歴史』藤沢道郎訳、中公文庫

デイビッド・モントゴメリー『土の文明史』片岡夏実訳、築地書館

河野与一訳『プルターク英雄伝』全12冊、岩波文庫

ブライアン・ウォード＝パーキンズ『ローマ帝国の崩壊』南雲泰輔訳、白水社

山田晶『アウグスティヌス講話』講談社学術文庫

聖アウグスティヌス『告白』服部英次郎訳、上・下、岩波文庫

主要参考文献

堀米庸三編『中世の森の中で』河出文庫
鯖田豊之『ヨーロッパ封建都市』講談社学術文庫
鯖田豊之『ヨーロッパ中世』河出文庫
ホイジンガ『中世の秋』堀越孝一訳、上・下、中公文庫
ジョルジュ・タート『十字軍』池上俊一監修、創元社
セシル・モリソン『十字軍の研究』橋口倫介訳、文庫クセジュ
ルネ・グルッセ『十字軍』橋口倫介訳、文庫クセジュ
橋口倫介『十字軍　その非神話化』岩波新書
橋口倫介『中世のコンスタンティノープル』講談社学術文庫
ジョフロワ・ド・ヴィルアルドゥワン『コンスタンチノープル征服記』伊藤敏樹訳、講談社学術文庫
塩野七生『コンスタンティノープルの陥落』新潮文庫
塩野七生『ロードス島攻防記』新潮文庫
中田耕治『メディチ家の人びと』集英社
中田耕治『メディチ家の滅亡』河出文庫
塩野七生『チェーザレ・ボルジアあるいは優雅なる冷酷』新潮文庫
桐生操『王妃カトリーヌ・ド・メディチ　サン・バルテルミー大虐殺の謎』新書館
マキアヴェッリ『君主論』河島英昭訳、岩波文庫
田中英道『レオナルド・ダ・ヴィンチ』講談社学術文庫
塩野七生『ルネサンスとは何であったのか』新潮文庫
澤井繁男『ルネサンス』岩波ジュニア新書
トレルチ『ルネサンスと宗教改革』内田芳明訳、岩波文庫
渡辺一夫『フランス・ルネサンスの人々』岩波文庫
モンタネッリほか『ルネサンスの歴史』藤沢道郎訳、上・下、中公文庫
ブルクハルト『イタリア・ルネサンスの文化』柴田治三郎訳、上・下、中公文庫
フランコ・サケッティ『ルネッサンス巷談集』杉浦明平訳、岩波文庫
樺山紘一『ルネサンス』講談社学術文庫
会田雄次・中村賢二郎『ルネサンス』河出文庫
会田雄次『ルネサンス』講談社現代新書
会田雄次『合理主義』講談社現代新書
『世界の歴史』全16巻、中公文庫
下村寅太郎『ルネッサンス的人間像』岩波新書
林達夫『文藝復興』中公文庫
エラスムス『平和の訴え』箕輪三郎訳、岩波文庫
ボッカッチョ『デカメロン』柏熊達生訳、全3冊、ちくま文庫
モンテーニュ『エセー』全6冊、岩波文庫
セネカ『人生の短さについて』茂手木元蔵訳、岩波文庫
パスカル『パンセ』津田穣訳、上・下、新潮文庫
野田又夫『パスカル』岩波新書
豊田利幸『ガリレオ』中央公論社
デカルト『方法序説』谷川多佳子訳、岩波文庫

デカルト『省察』三木清訳、岩波文庫
デカルト『哲学原理』桂寿一訳、岩波文庫
デカルト『精神指導の規則』野田又夫訳、岩波文庫
デカルト『情念論』谷川多佳子訳、岩波文庫
小泉義之『デカルト＝哲学のすすめ』講談社現代新書
野田又夫『デカルト』岩波新書
谷川多佳子『デカルト『方法序説』を読む』
　岩波セミナーブックス
ジュヌヴィエーヴ・ロディス＝ルイス
　『デカルトと合理主義』福居純訳、文庫クセジュ
アントニオ・Ｒ・ダマシオ『デカルトの誤り』田中三彦訳、
　ちくま学芸文庫
フッサール『デカルト的省察』浜渦辰二訳、岩波文庫
井筒俊彦『意識と本質』岩波文庫
串田孫一編『ヴォルテール　ディドロ　ダランベール』
　中央公論社
スピノザ『エチカ』畠中尚志訳、上・下、岩波文庫
スピノザ『知性改善論』畠中尚志訳、岩波文庫
ホッブズ『リヴァイアサン』水田洋訳、全4冊、岩波文庫
ルソー『社会契約論』桑原武夫・前川貞次郎訳、岩波文庫
ルソー『人間不平等起原論』本田喜代治訳、岩波文庫
ルソー『エミール』今野一雄訳、全3冊、岩波文庫
ルソー『孤独な散歩者の夢想』今野一雄訳、岩波文庫
ルソー『学問芸術論』前川貞次郎訳、岩波文庫
桑原武夫『ルソー』岩波新書
ディーイ『学校と社会』宮原誠一訳、岩波文庫
ジョン・デューウィ『哲学の改造』清水幾太郎・清水禮子訳、
　岩波文庫
上山春平編『パース　ジェイムズ　デューイ』中公バックス
渡辺京二『逝きし世の面影』平凡社ライブラリー
エドゥアルド・スエンソン『江戸幕末滞在記』長島要一訳、
　講談社学術文庫
Ｊ・Ｍ・トムソン『ロベスピエールとフランス革命』樋口謹
　一訳、岩波新書
カント『純粋理性批判』篠田英雄訳、全3冊、岩波文庫
カント『実践理性批判』波多野精一・宮本和吉・篠田英雄訳、
　岩波文庫
カント『判断力批判』篠田英雄訳、上・下、岩波文庫
カント『永遠平和のために』高坂正顕訳、岩波文庫
カント『道徳形而上学原論』篠田英雄訳、岩波文庫
西研『カント　純粋理性批判』ＮＨＫ出版
石川文康『カント入門』ちくま新書
加藤尚武編『ヘーゲル「精神現象学」入門』講談社学術文庫
ヘーゲル『精神現象学』熊野純彦訳、上・下、筑摩書房
斎藤幸平『ヘーゲル「精神現象学」』ＮＨＫ出版
長谷川宏『新しいヘーゲル』講談社現代新書

主要参考文献

権左武志『ヘーゲルとその時代』岩波新書

キェルケゴール『死に至る病』斎藤信治訳、岩波文庫キェルケゴール『不安の概念』斎藤信治訳、岩波文庫

キルケゴール『現代の批判』桝田啓三郎訳、岩波文庫

ニーチェ『ツァラトゥストラはこう言った』氷上英廣訳、上・下、岩波文庫

ニーチェ『人間的、あまりに人間的』池尾健一・中島義生訳、全2冊、ちくま学芸文庫

ニーチェ『道徳の系譜』木場深定訳、岩波文庫

ニーチェ『この人を見よ』西尾幹二訳、新潮文庫

ニーチェ『善悪の彼岸』竹山道雄訳、新潮文庫

西研『ツァラトゥストラ　ニーチェ』NHK出版

三島憲一『ニーチェ』岩波新書

永井均『これがニーチェだ』講談社現代新書

田原八郎『超人の哲学』講談社現代新書

スウィフト『ガリヴァー旅行記』平井正穂訳、岩波文庫

モンテスキュー『法の精神』全3冊、岩波文庫

フランシス・ベーコン『ベーコン随筆集』渡辺義雄訳、岩波文庫

フランシス・ベーコン『ノブム・オルガヌム』桂寿一訳、岩波文庫

アダム・スミス『道徳感情論』高哲男訳、講談社学術文庫

アダム・スミス『諸国民の富』大内兵衛・松川七郎訳、全5冊、岩波文庫

ジェシー・ノーマン『アダム・スミス　共感の経済学』村井章子訳、早川書房

高島善哉『アダム・スミス』岩波新書

トマ・ピケティ『21世紀の資本』山形浩生・守岡桜・森本正史訳、みすず書房

リカードウ『経済学および課税の原理』羽鳥卓也・吉澤芳樹訳、上・下、岩波文庫

吉岡昭彦『インドとイギリス』岩波新書

T・W・シュルツ『貧困の経済学』土屋圭造監訳、東洋経済新報社

アマルティア・セン『貧困と飢饉』黒崎卓・山崎幸治訳、岩波現代文庫

本山美彦『豊かな国、貧しい国』岩波書店

ロバアト・オウエン『オウエン自叙伝』五島茂訳、岩波文庫

J・S・ミル『自由論』関口正司訳、岩波文庫

朱牟田夏雄訳『ミル自伝』岩波文庫

中村修『なぜ経済学は自然を無限ととらえたか』日本経済評論社

マックス・ヴェーバー『プロテスタンティズムの倫理と資本主義の精神』大塚久雄訳、岩波文庫

山之内靖『マックス・ヴェーバー入門』岩波新書

岡崎次郎『資本論入門』国民文庫

宇野弘蔵『資本論入門』講談社学術文庫
カール・マルクス『資本論』全9冊、岡崎次郎訳、大月書店
ポール・ジョンソン『ユダヤ人の歴史』上・下、石田友雄監修、徳間書店
ティモシー・スナイダー『ブラックアース』上・下、慶應義塾大学出版会
伊東光晴『現代に生きるケインズ』岩波新書
伊東光晴『ケインズ』岩波新書
伊東光晴『ケインズ』講談社学術文庫
早坂忠『ケインズ』中公新書
根井雅弘『ケインズを学ぶ』講談社現代新書
根井雅弘『『ケインズ革命』の群像』中公新書
廣田裕之『シルビオ・ゲゼル入門』アルテ
ホセ・オルテガ・イ・ガセット『ガリレオをめぐって』A・マタイス・佐々木孝訳、法政大学出版局
オルテガ・イ・ガセット『大衆の反逆』神吉敬三訳、ちくま学芸文庫
ホセ・オルテガ・イ・ガセット『ドン・キホーテをめぐる省察』長南実訳、白水社
ホセ・オルテガ・イ・ガセット『哲学の起源』佐々木孝訳、法政大学出版局
J・オルテガ・イ・ガセット『個人と社会』A・マタイス・佐々木孝訳、白水社
ホセ・オルテガ・イ・ガセット『現代の課題』井上正訳、白水社
ホセ・オルテガ・イ・ガセット『反文明的考察』西澤龍生訳、東海大学出版会
色摩力夫『オルテガ』中公新書
矢内原伊作『サルトル』中公新書
J・P・サルトル『嘔吐』白井浩司訳、人文書院
松浪信三郎『実存主義』岩波新書
レイチェル・カーソン『沈黙の春』青樹簗一訳、新潮文庫
レイチェル・カーソン『センス・オブ・ワンダー』上遠恵子訳、新潮社
上遠恵子『レイチェル・カーソンの世界へ』かもがわ出版
小河原誠『ポパー　批判的合理主義』講談社
カール・セーガン『人はなぜエセ科学に騙されるのか』上・下、青木薫訳、新潮文庫
ケネス・J・ガーゲン『関係からはじまる—社会構成主義がひらく人間観』鮫島輝美・東村知子訳、ナカニシヤ出版
河邑厚徳『エンデの遺言』NHK出版
ハーマン・E・デイリー『持続可能な発展の経済学』新田功・大森正之・藏本忍訳、みすず書房
菅野礼司『科学はこうして発展した』せせらぎ出版
本多修郎『科学思想史概説』朝倉書店
シェヴェーグラー『西洋哲学史』谷川徹三・松村一人訳、

主要参考文献

上・下、岩波文庫
新田義弘『哲学の歴史』講談社現代新書
ヨースタイン・ゴルデル『ソフィーの世界』須田朗監修、
池田香代子訳、NHK出版
山本義隆『磁力と重力の発見』全3冊、みすず書房
山崎正一・市川浩『新・哲学入門』講談社現代新書
岩崎武雄『哲学のすすめ』講談社現代新書
竹内啓『近代合理主義の光と影』新曜社
中村元『合理主義　東と西のロジック』青土社
ウィリアム・R・クラーク『ペトロダラー戦争』作品社
バーツラフ・スミル『世界を養う』農文協
シュムペーター『経済発展の理論』上・下、岩波文庫
秋山さと子『ユングの心理学』講談社現代新書
古東哲明『ハイデガー＝存在神秘の哲学』講談社現代新書
金谷治訳注『論語』岩波文庫
貝塚茂樹『孔子』岩波新書
和辻哲郎『孔子』岩波文庫
島田虔次『大学・中庸』上・下、朝日新聞社
高田真治・後藤基巳訳『易経』上・下、岩波文庫
金谷治『孟子』岩波新書
小林勝人『孟子』上・下、岩波書店
福永光司『老子』朝日選書
福永光司『荘子　内篇』朝日文庫
金谷治訳注『荘子』全4冊、岩波文庫
小林勝人訳注『列子』上・下、岩波文庫
福永光司『荘子』中公新書
小川環樹・森三樹三郎『世界の名著4　老子・荘子』
中央公論社
金谷治訳注『孫子』岩波文庫
守屋洋『孫子の兵法』三笠書房
スーザン・ストレンジ『国家の退場』櫻井公人訳、岩波書店
オイゲン・ヘリゲル『日本の弓術』柴田治三郎訳、岩波文庫
金谷治訳注『韓非子』全4冊、岩波文庫
貝塚茂樹『韓非』講談社学術文庫
冨谷至『韓非子』中公新書
西野広祥『韓非子』PHP文庫
守屋洋『強者の管理学　韓非子』PHP文庫
杉本達夫訳『荀子』徳間書店
松本一男訳『管子』徳間書店
田中謙二・一海知義『史記』1~5巻、朝日文庫
小川環樹・今鷹真・福島吉彦『史記列伝』全5冊、岩波文庫
吉田豊『戦国策』PHP文庫
小倉芳彦訳『春秋左氏伝』全3冊、岩波文庫
吉田公平『伝習録』タチバナ教養文庫
湯浅幸孫『近思録』全3冊、タチバナ教養文庫
佐藤一斎『言志四録』全4冊、講談社学術文庫

WO UP DATE SURU HOUHOU
ピカッ!!
OH! NO! 脳が… アップデート!!
哲学??
新しい時代?!
究する力 いいねー
そうか！ 孔子は こうしてる
ナルホド！
モグモグモグモグ
オウエンは、労働者を応援してるぜー
いっぱい食べてね
イイね
でっかいメロンだーいを〜！
なんかエロイね これ…
人類も脇役だよねー
観察して発見…
このへんなんく
アリストテレスだってよ
うん、たしかね
アップデート?
ビリビリ
常
識
常識を破るって大事だモン
ぼくもだよ ニーチェ
ゼツボーして生きてくぜ
肉っすよ コペルニクスさん
モグモグ
魚じゃないの?
アテナイの学堂
トン
トン
ニュートン
あっ
ひらめいた、新しい世界…
そうだと荘子も思います
そんな未来アリ?
NO MANABIKATA

SEKAI
思想?!!
パカーン!
考え方をアップデートしていいカントね
ワクワクしそう♡
常識破り??
マジスゲー
なに笑ってるのマルクス?
クスクス
なぬー
哲学っておもしろいね♡
お金くれー
支配されたくなーい
思想かー♡
トンでもないですよプラトンさん
哲学者とか凡人とかカンケーないんだよ
すべてを疑ってみるよ…
ユングの方がヤングね♡
わきあがる情動…!!
どう湯かげん?
フロイト
労働ってなんだ〜♪
民主主義?
それってさ
ほんと?
固定観念って破れるぞーですよ
言うこともでかいね
哲学・思想で世界をアップデート♡
TETSUGAKU SHISOU

篠原 信

Shinohara Makoto

1971年生まれ、大阪府出身。農学博士（京都大学）。農業研究者、教育研究者。中学校時代に偏差値52からスタートし、3度目で京都大学に合格。大学入学と同時に塾を主宰。不登校児、学習障害児、非行少年などを積極的に引き受け、およそ100人の子どもたちに向き合う。著書に『自分の頭で考えて動く部下の育て方　上司1年生の教科書』（文響社）、『子どもの地頭とやる気が育つおもしろい方法』（朝日新聞出版）、『ひらめかない人のためのイノベーションの技法』（実務教育出版）、『思考の枠を超える』（日本実業出版社）、『そのとき、日本は何人養える？』（家の光協会）など。

世界《せかい》をアップデートする方法《ほうほう》

哲学《てつがく》・思想《しそう》の学《まな》び方《かた》

2024年2月29日　第1刷発行

著者
篠原《しのはら》 信《まこと》

発行者
岩瀬 朗

発行所
株式会社 集英社インターナショナル
〒101-0064 東京都千代田区神田猿楽町1-5-18
電話 03-5211-2632

発売所
株式会社 集英社
〒101-8050 東京都千代田区一ツ橋2-5-10
電話 読者係 03-3230-6080 販売部 03-3230-6393（書店専用）

印刷所
TOPPAN株式会社

製本所
ナショナル製本協同組合

 ISBN978-4-7976-7442-2 C0036